DEFOSIWN A DIREIDI

DEFOSIWN A DIREIDI

Casgliad o Gerddi ac Emynau

D. R. GRIFFITH

Golygwyd gan
ROBIN GWYNDAF

GWASG GEE
DINBYCH

ISBN 0 7074 0112 7

Argraffwyd a chyhoeddwyd gan

WASG GEE, LÔN SWAN, DINBYCH, CLWYD

CYNNWYS

CYNNWYS — *Parhad*

RHAN 2 — EMYNAU

EMYNAU A GYFIEITHWYD

CYNNWYS — *Parhad*

RHAN 3 — PYTIAU BYRION YSGAFN

CYNNWYS — *Parhad*

EPILOG

RHAGAIR

Y mae'r casgliad hwn yn cynnwys cerddi sydd yn amrywiol iawn eu nodweddion ac yn ymestyn dros lawer o flynyddoedd. Y mae arnaf ddyled drom i'r rhai a gyhoeddodd nifer helaeth o'r darnau hyn am y tro cyntaf, a mynegi gwerthfawrogiad ohonynt. Cefais lawer o gefnogaeth felly gan Mr. Gwilym R. Jones (yn y *Faner* gynt); Aneirin Talfan Davies (*Heddiw*); y Parch. Lewis Valentine (pan oedd yn olygydd *Seren Gomer*); gwahanol olygyddion *Seren Cymru*; a'r Parch. Rhydwen Williams (*Barn*).

Yn achos amryw o'r emynau a gyfansoddwyd yn ddiweddar fe hoffwn ddiolch yn arbennig i'r Parch. Raymond Williams, Gweinidog Eglwys y Bedyddwyr, Y Tabernacl, Caerdydd, am ei ddiddordeb byw ynddynt, a hefyd i aelodau eglwys Y Tabernacl am eu derbyn mor garedig. Fe welir bod rhai o'r emynau yn aralleiriad o adrannau o Epistolau Paul, a rhai yn fwy addas, hwyrach, at fyfyrdod personol nag at addoliad cyhoeddus.

Ceir cyfieithiadau gweddol niferus yn y casgliad, ac nid yw hyn yn annisgwyl, mae'n debyg, gan un sydd wedi treulio llawer o'i amser ynglŷn â chyfieithu o un math neu'i gilydd. Teimlais fy hunan fod y darnau a gyfieithir yn rhai gwir ddiddorol, er bod rhai ohonynt yn dod o gefndir sydd braidd yn wahanol i'm cefndir i. Ceisiais gyfieithu'n ffyddlon heb dderbyn, o anghenraid, holl syniadaeth y testunau gwreiddiol.

Yr wyf yn ddiolchgar i'r Athro Dennis Brutus, Evanston, Illinois, am ganiatâd i ddefnyddio cyfieithiad o un o'i gerddi ef, er cof am fy niweddar wraig, Mrs. Gladys Griffiths. Buont yn cydweithredu am flynyddoedd lawer yn yr ymgyrch i gael De Affrica i newid ei pholisïau ym myd chwaraeon yn arbennig.

Diolchaf yn gynnes iawn i'm brawd, yr Athro J. Gwyn Griffith, Abertawe, am ei holl lafur wrth baratoi'r casgliad ar adeg pan nad oedd modd i mi wneud fy rhan yn gyflawn oherwydd afiechyd. Mawr yw fy niolch hefyd i Wasg Gee am dderbyn y gyfrol i'w chyhoeddi ac i'r Cyngor Llyfrau Cymraeg am gefnogaeth ariannol.

Yn olaf diolchaf yn ddiffuant iawn i Mr. Robin Gwyndaf am ddangos diddordeb mawr yn y gwaith a'i olygu.

Haf 1986.

D. R. GRIFFITH.

CYFLWYNIAD

gan

Robin Gwyndaf

CYFLWYNIAD

Braint a hyfrydwch arbennig iawn i mi fu cael golygu cyfrol o gerddi'r Parchedig D. R. Griffith ac ysgrifennu hyn o gyflwyniad iddi. Y mae bellach bymtheng mlynedd, bid siwr, er pan gwrddais ag ef gyntaf. Gwyddwn amdano eisoes, wrth gwrs, fel awdur yr emyn rhagorol:

> O Grist, Ffisigwr mawr y byd,
> Down atat â'n doluriau i gyd . . .

Gwyddwn hefyd ei fod yn aelod o Gylch Cadwgan, y cylch o feirdd a llenorion a gyfarfyddai yn y pedwardegau yng nghartref ei frawd a'i chwaer-yng-nghyfraith, Yr Athro Emeritus J. Gwyn Griffith a Kate Bosse Griffith, wrth droed Moel Cadwgan yng Nghwm Rhondda. Gyda J. Gwyn Griffith, Pennar Davies, Gareth Alban Davies a Rhydwen Williams roedd D. R. Griffith yn gyd-awdur y gyfrol *Cerddi Cadwgan* (1953). Yn ogystal â'r awduron hyn roedd Gwilym Griffiths (brawd iau D. R. Griffith), Rosemarie Wolf a John Hughes, y cerddor, hwythau yn aelodau o'r Cylch. Mewn oes a ysigwyd gan erchyllterau'r Ail Ryfel Byd safent yn gadarn dros heddwch a rhyddid, dros gyfiawnder i Gymru a chyd-ddyn, a thros y cain a'r prydferth mewn celfyddyd.

Ymhen blynyddoedd wedyn, ac yntau'n byw ym Mhenarth, deuai D.R. Griffith i addoli (ac i bregethu yn ei dro) i'r Tabernacl, Eglwys y Bedyddwyr, yn Yr Ais, Caerdydd. Yno yr oedd, ac y mae, yn aelod. Ac yno yn ei sedd ar yr ochr dde wrth fynd i mewn i'r capel, ac yn agos i'r cefn, y cwrddais ag ef gyntaf. Gŵr tawel a diymhongar, bonheddig a mwynaidd iawn. Yn ystod y blynyddoedd diwethaf hyn gŵyr beth yw gorfod dioddef afiechyd a phoen. Bu ei briod hithau yn wael yn ystod ei blynyddoedd olaf. A bu eu hunig blentyn yn dioddef o'r cancr, a bygythiad y clefyd creulon hwnnw yn hofran megis cwmwl du dros y teulu. Ond ni chollodd ef ei ffydd ac ni phylodd y wên. Gŵr a'i gariad at eraill fel ffynnon yn goferu. Am hynny y mae serenedd ar ei wyneb a llawenydd yn ei galon.

Teulu ac Etifeddiaeth

Yn ystod y seiadau hyfryd ar ei aelwyd ym Mhenarth siaradai D. R. Griffith am aelodau ei deulu gyda pharch ac edmygedd mawr. Yn wir, roedd yn barotach o lawer i sôn am ei deulu nag amdano ef ei hun. Teulu arbennig o ddiddorol, nodedig am eu dysg a'u diwylliant, a'u cyfraniad cyfoethog i fywyd cymdeithas. Hawdd y gallai D. R. Griffith yntau ddweud, fel y dywedodd y Salmydd gynt: 'Fy llinynnau a syrthiodd mewn lleoedd hyfryd; ie, y mae i mi etifeddiaeth deg.'

Ei enw llawn yw David Robert Griffith (Griffiths ar y dyst-ysgrif geni), ond fel D. R. Griffith (i wahaniaethu rhyngddo ef a D. R. Griffiths (*Amanwy*) yn un rheswm) yr adwaenir ef amlaf bellach, ac fel 'D.R.' i'w gyfeillion agos. Fe'i ganed ym Mryn-hyfryd, Pentre, Rhondda, yn bedwerydd plentyn i Mimah a'r Parch. Robert Griffiths. Roedd Brynhyfryd (Mans Capel Moreia, y Bedyddwyr) yn St. Stephen's Avenue, stryd a enwyd wedi i Mabon gael ei ethol yn Aelod Seneddol. Roedd cartref Mabon yn y stryd hon, ac y mae gan D. R. Griffith gof byw ohono'n hen ŵr yn dringo'r rhiw, a phlant y stryd yn ei gynorthwyo.

Merch fferm Maes Twynog, Llanwrda, sir Gaerfyrddin, oedd ei fam. Roedd ei thad hi, David Davies, yn ŵr amlwg gyda'r Methodistiaid Calfinaidd yn yr ardal, a'r teulu yn 'cadw pregethwyr'. Meddai Tom Beynon yn ei gyfrol *Golud a Mawl Dyffryn Tywi* (Caernarfon, 1936), t. 107:

> Gofalaf godi fy het wrth basio Maestwynog o barch i goffa-dwriaeth y dyn caredig oedd yn arfer byw yno. Wrth gerdded o Lanwrda i bregethu yn y lleoedd a nodwyd, llawer cwpaned o de a dderbyniais gan Davies Maestwynog a'i deulu caredig.

Brawd i Mimah Davies oedd Thomas Davies, cynghorydd a gŵr amlwg iawn yn ardal Caeo. Nai iddo yntau yw Twynog Davies, Arweinydd Côr yr Eisteddfod Genedlaethol, Llanbedr Pont Steffan a'r Fro, 1984.

Yr oedd mam D. R. Griffith yn ddarllenreg fawr ac yn hedd-

15

ychwraig i'r carn. Roedd yn edmygydd o George M. Ll. Davies ac yn gefnogol iawn i'w waith. Bwriadai unwaith fynd yn genhades i Fryniau Casia. Bedyddiwyd hi ym Mhorth-y-rhyd, a bu'n pregethu llawer cyn priodi. Fel y nodir gan T. M. Bassett (*Bedyddwyr Cymru*, t. 267) yr oedd hi yn un o'r gwragedd hynny a ddaeth i gryn fri yn ail hanner y bedwaredd ganrif ar bymtheg a dechrau'r ganrif hon fel pregethwyr poblogaidd, er gwaethaf rhagfarn a beirniadaeth llawer un yn y cyfnod hwn. Bu'n fyfyrwraig yn Ysgol yr Hen Goleg, Caerfyrddin — Ysgol Joseph Harry, fel y'i gelwid bryd hynny. Ysgrifennodd D. R. Griffith bennill sy'n cyfeirio at lyfr gweddïau ei fam tra bu yn yr ysgol hon, patrymau o weddïau o waith Joseph Harry ei hun, mae'n debyg. Yn yr ysgol y cyfarfu â Robert Griffiths, a dyna ergyd llinellau ysgafn D. R. yn y pennill olaf un yn y gyfrol hon :

> Ond y mae ambell ysgol wych odiaeth
> Sy'n gyfrifol am ein bodolaeth !

Wedi priodi rhoes heibio'r bwriad o fynd yn genhades. Rhoes y gorau hefyd i bregethu. Bu'n fam ddiwyd dda i bump o blant. Yr hynaf ydoedd Elizabeth Jane (Bessie), un o'r merched cyntaf i ennill gradd anrhydedd dosbarth cyntaf mewn Cymraeg yng Ngholeg Prifysgol Cymru, Caerdydd (1926). Bu'n pregethu ac annerch lawer. Priododd â'r Parch. Hugh Jones, ond, yn drist iawn, bu'r ddau farw yn 1947 mewn damwain erchyll pan ollyngodd y nwy yn eu cartref ym Mhontarddulais. Enwau'r plant eraill yn nhrefn eu hoedran yw : Augusta (Davies), Abertawe, cyn-athrawes; Yr Athro Emeritus J. Gwyn Griffith, Abertawe; Y Parch. D. R. Griffith, Penarth; a Gwilym Griffiths, Hen Golwyn, cyn-brifathro ysgol a phregethwr lleyg.

Ganed Robert Griffiths, tad D. R. Griffith, yn Ponciau, Rhosllannerchrugog. Bu'n gweithio yn y lofa am ychydig cyn mynd yn fyfyriwr i Ysgol Joseph Harry, Caerfyrddin, a'i ordeinio'n weinidog gyda'r Bedyddwyr. Ei eglwys gyntaf oedd Elim Park, sir Gaerfyrddin. Wedi cyfnod byr yma aeth i Bethabara, ger Crymych, sir Benfro, am oddeutu deng mlynedd. Symud i Seion, Porth, Rhondda, yn 1912, ac yna i Moreia, Pentre, yn 1914. Yno y bu'n weinidog ac yn bregethwr mawr ei barch hyd ei farw disyfyd. Ar daflen ei angladd ysgrifennwyd y geiriau a ganlyn :

Er cof annwyl am Y Parch. Robert Griffiths. Priod hoff Mimah Griffiths a Gweinidog ffyddlon Moriah, Pentre, oddi ar 1914. Hunodd wrth ei waith yn y Gyfeillach nos Sul, Gorffennaf 20, 1941, yn 64 mlwydd oed.

Efe oedd gannwyll yn llosgi ac yn goleuo.

Mor addas oedd yr emyn cyntaf a ganwyd yn ei angladd :

Yn Dy waith y mae fy mywyd
Yn Dy waith y mae fy hedd . . .

Ysgrifennodd D. R. Griffith gerdd goffa i'w dad : 'Myfyrdod yng Nghapel Moreia, Pentre', ac fe'i cyhoeddir yn y gyfrol hon.

Ni chawn ymadrodd heno
O'r neges eirias gref . . .

Cofiwn hefyd i Rhydwen Williams gyflwyno'i bryddest fuddugol 'Y Ffynhonnau' i 'Blant Ysgol Gymraeg yr Ynys-wen, Cwm Rhondda, i gofio am Dri o'u Dewrion; John Robert Williams : Glöwr a Bardd; Robert Griffiths : Bugail a Phregethwr; James Kitchener Davies : Athro, Gwleidydd, Llenor.' Cyfeiria at Robert Griffiths yn gynnar yn y gerdd. Daw 'gŵr dierth' i eistedd 'ar sedd wrth odre Moel Cadwgan' ac i hel atgofion. Cwyd a daw at gapel.

Agor y drws. Mynd i mewn. Sefyll. Syllu.
— Dyma gofeb yr hen weinidog.
— 'Proffwyd, bugail, a chyfaill i bawb.'
— Ma' rhai ar ôl sy'n 'i gofio.
— Bu yma am oes.
Mae bedd Rhobet Griffith ar fryn uchel yn Nhreorci
Fel pe bai'n ofni gollwng ei afael ar Foreia.

Am rieni D. R. Griffith fe ellid dweud fel y dywedodd Waldo am ei rieni yntau :

Gwyn eu byd tu hwnt i glyw,
Tangnefeddwyr, plant i Dduw.

Roedd Robert Griffiths yn un o deulu mawr. Ei frawd enwocaf oedd John Griffiths a fu'n löwr cyn mynd i'r coleg ym Mangor gan ennill nifer o raddau, ac felly hefyd yn ddiwedd-

17

arach drwy Brifysgol Llundain. Bu'n weinidog yn Ebeneser, Rhydaman, am oddeutu pum mlynedd ar hugain hyd nes ei benodi'n ddarlithydd yng Ngholeg y Bedyddwyr, Caerdydd, yn 1925, a dod maes o law yn Brifathro'r Coleg. Yno y bu hyd ei farw yn 1947, wedi oes o weithgarwch. Ysgolhaig ac athro da; gŵr mwyn, mawr ei gymwynas. Cyfansoddodd D. R. Griffith gerdd goffa iddo yntau:

Myfyriodd y memrynau
A'r llawysgrifau lu . . .

Gellid ymhelaethu lawer ar deulu diddorol D. R. Griffith, ond rhaid ymatal. Efallai, fodd bynnag, y caf ychwanegu un sylw pellach, sef fod y Parch. Ddr. Lewis Valentine yntau yn berthynas o bell ar ochr tad D.R.G., ac fel yr awgrymir gan y pennill iddo yn y gyfrol hon roedd D. R. Griffith yn edmygydd mawr o ŵr y doniau da o Landdulas.

Gyrfa a Gwaith

Wedi mynychu ysgolion yn Pentre, Rhondda, aeth D. R. Griffith i Goleg y Bedyddwyr, Regent's Park, Llundain, coleg a gydweithredai â New College, Coleg yr Annibynwyr, Hampstead. Prifathro Coleg y Bedyddwyr ydoedd Dr. H. Wheeler Robinson, gŵr a gafodd ddylanwad mawr ar D.R. Felly hefyd Dr. Sydney Cave gyda'r Annibynwyr. Ceir mwy nag un gerdd yn y drydedd adran sy'n cyfeirio at y cyfnod hwn yn y coleg. Yn y cyfnod hwn hefyd y daeth D. R. Griffith yn gyfeillgar ag Aneirin Talfan Davies a oedd ar y pryd yn fferyllydd yn Watford ac yn olygydd cylchgrawn *Heddiw*. Cyhoeddwyd rhai o gerddi cynnar D.R. yn y cylchgrawn hwn. Yn 1937 enillodd radd B.D. Prifysgol Llundain. Rhwng 1937 a 1939 roedd yn fyfyriwr yng Ngholeg y Bedyddwyr, Regent's Park, ac yn mynychu darlithoedd hefyd yng Ngholeg Mansfield (Coleg yr Annibynwyr). Yn 1939 enillodd radd anrhydedd B.A. mewn Diwinyddiaeth (M.A. yn 1942, 'am fod yn fyw', chwedl D.R.!)

Wedi gadael y coleg, fe'i hordeiniwyd yn 1940 yn weinidog ar Eglwys y Bedyddwyr yng Nghaerllion-ar-Wysg, ac yno yr arhosodd hyd 1946. Eglwys Saesneg oedd hon; braidd yn araf i gynnig galwad bendant oedd yr eglwysi Cymraeg bryd hynny, adeg y Rhyfel. Yn 1943 enillodd radd M.Th. Prifysgol Llundain, trwy arholiad (yn y Testament Newydd a'r Apocryffa).

Yna yn 1944 priododd â Gladys Owen, ei 'anwylaf, hyfrytaf, ferch', fel y disgrifiodd hi yn y gerdd 'Y Gorchymyn a Dorrwyd'. Ganed hi ym Mhont-llan-fraith, sir Fynwy, ac yr oedd yn ferch i John Owen, Prifathro Coleg Caerllion-ar-Wysg. Bu brawd i'w thad yn weinidog gyda'r Bedyddwyr Saesneg ym Methel, Tonypandy; Crane Street, Pontypŵl; ac wedi hynny yn Swydd Efrog. Mab i'w hewythr oedd Syr David Owen a wnaeth waith rhagorol gyda Sefydliad Iechyd y Byd (*World Health Organization*), o dan nawdd y Cenhedloedd Unedig. Graddiodd Gladys Owen mewn Ffrangeg yng Ngholeg Somerville, Rhydychen, a bu wedi hynny yn athrawes Ffrangeg yng Nghasnewydd, Gwent, ac yn weithgar iawn yn Eglwys Summer Hill. Bedyddiwyd hi gan D. R. Griffith yng Nghaerllion.

Yn ystod 1946-7 bu D. R. Griffith yn Ddarlithydd mewn Astudiaethau Crefydd ac yn Gaplan yng Ngholeg Brys i Athrawon yn Leavesden, Watford. Bryd hynny roedd nifer o Gymry yn y coleg ac roedd Cymdeithas Gymraeg ar eu cyfer (er mai Saesneg oedd iaith y cyfarfodydd). Ceid llawer o hwyl yno. Un tro cofia D.R. iddo fod yn actio rhan potsiar yn nrama J. O. Francis. Y bore canlynol aeth i mewn i'r ystafell ddarlithio, a beth oedd ar y bwrdd du ond llun cloben o gwningen! Yn 1947 fe'i penodwyd yn Ddarlithydd ar y Testament Newydd yng Ngholeg y Bedyddwyr, Caerdydd, ac yno yr arhosodd am wyth mlynedd. Yna yn 1955 hyd nes ymddeol yn 1979 bu'n Ddarlithydd mewn Astudiaethau Beiblaidd (Y Testament Newydd) yng Ngholeg y Brifysgol, Caerdydd.

Yn 1964 traddododd Ddarlith Pantyfedwen a gyhoeddwyd wedi hynny mewn fersiwn lawnach yn y llyfr, *The New Testament and the Roman State* (Gwasg John Penry, Abertawe, 1970). O 1954 hyd 1968 roedd yn gyd-olygydd *Diwinyddiaeth*, cylchgrawn diwinyddol Urdd y Graddedigion, ac o 1974 hyd 1976 bu'n Arholwr Allanol yn y Testament Newydd i Brifysgol Bryste. Un o'i gyfraniadau pwysicaf, fodd bynnag, oedd fel cyfieithydd. Bu am flynyddoedd yn aelod o Banel y Gorllewin o Gyfieithwyr y Diglott Bible (y Testament Newydd), cyfieithiad o dan nawdd Cymdeithas y Beiblau ar gyfer y maes cenhadol.

Bu hefyd yn aelod o Banel Cyfieithwyr y *Beibl Cymraeg Newydd* (y Testament Newydd a'r Apocryffa).

Gladys Griffiths, Dennis Brutus, a De Affrica

'Y Wraig Er Mwyn Eraill', dyna bennawd ysgrif deyrnged y Parch. Raymond Williams i Mrs. Gladys Griffiths pan fu hi farw 3 Tachwedd 1982 (*Seren Cymru,* 31 Rhagfyr). Gorffennodd ei ysgrif drwy 'ddiolch i Dduw am un a roes lawnder a llawenydd i aelwyd ac i fro.' Er na chefais i y fraint o'i hadnabod, y mae'n amlwg i minnau oddi wrth yr hyn a ddarllenais ac a glywais amdani ei bod yn berson nodedig iawn. Gwraig hyfwyn, lawen, a lafuriodd yn dawel a diarbed dros gyfiawnder a lles cymdeithas.

Mor gynnar â chyfnod y Rhyfel Cartref yn Sbaen cydweithiodd gyda Cyril P. Cule ac eraill i roi cartref yng Nghaerllion i rai o ffoaduriaid gwlad y Basg. Ymhen blynyddoedd wedyn yn ystod yr argyfwng yn Uganda trefnodd i Eglwysi Penarth a Chaerdydd estyn cymorth drwy ddodrefnu cartrefi i'r ffoaduriaid. Yn yr un modd, adeg y terfysg yn Smethwick, Birmingham, aeth hi a Mrs. Elizabeth Shepherd-Jones ati i sicrhau bod Cyngor Eglwysi Penarth yn gwahodd plant Smethwick i aros am gyfnod ar aelwydydd trigolion y dref. Mynegodd ar goedd a chydag argyhoeddiad ei gwrthwynebiad i bolisi Llywodraeth Prydain yn gwerthu arfau i Dde Affrica; ymunodd â gorymdeithiau heddwch; a thrwy gydol ei hoes rhoes bob cymorth i'r digartref a'r difreintiedig.

Bu hefyd ar flaen y gad dros gyfiawnder i'r dyn du yn Ne Affrica. Yn 1958 daeth Chwaraeon y Gymanwlad i Gaerdydd, ac o'r flwyddyn hon hyd tua 1977-8, pan lethwyd hi'n llwyr gan afiechyd, bu'n gohebu'n gyson â'r Athro Dennis Brutus, y bardd a'r llenor o Dde Affrica, ac yn fawr ei chefnogaeth iddo yn ei frwydr yn erbyn apartheid. Ef oedd prif symbylydd S.A.N.R.O.C. (South African Non-racial Olympic Committee), sef y mudiad a sefydlwyd yn 1962 ac a lwyddodd i rwystro De Affrica rhag ymuno yn y Chwaraeon Olympaidd. Yn 1961 gwaharddwyd Dennis Brutus rhag dysgu, a hynny oherwydd ei safiad dros gydraddoldeb i blant du a gwyn. Yn 1962 fe'i gwaharddwyd rhag cyhoeddi dim o'i waith. Ac yn 1963, wedi mynych dreialon (megis cael ei saethu yn ei gefn gan blismyn) fe'i carcharwyd am ddeunaw mis ar Ynys Robben yn yr un carchar â Nelson Mandela.

Yn 1966, wedi'i ryddhau o garchar ond yn parhau o dan orfodaeth yn gaeth i'w dŷ, gadawodd Dde Affrica a dod i fyw i Lundain. O hynny hyd 1970 bu'n gweithio gyda'r *International Defence and Aid Fund,* sef un agwedd ar fudiad *Christian Action* o dan arweiniad y Canon John Collins. Yn y gwaith hwn, a dyfynnu D. R. Griffith yn ei erthygl 'Dennis Brutus a'i Ymgyrch' (*Barn,* Rhag.-Ion. 1983-4), 'y prif amcanion oedd rhoi cynhorthwy i rai oedd yn wynebu treialon politicaidd yn Ne Affrica neu a oedd eisoes wedi eu carcharu yno, a hefyd i ledaenu gwybodaeth ynglŷn â'r sefyllfa erchyll yn y wlad honno.' Yn 1970 aeth Dennis Brutus (a'i deulu) i'r Unol Daleithiau yn ddarlithydd mewn Saesneg yn Denver, Colorado. Yna yn 1971 fe'i penodwyd yn Athro Saesneg ym Mhrifysgol Northwestern, Evanston, Illinois.

Ar ei ymweliadau â Chymru (yn arbennig yn ystod y cyfnod 1966-70), ym Mhenarth, fel arfer, ar aelwyd groesawus Gladys a D. R. Griffith yr arhosai Dennis Brutus a'i wraig May (roedd hithau yn amlwg iawn yng ngweithgarwch ei phriod). Pan ddeallodd Dennis Brutus fod cyfrol o farddoniaeth D. R. Griffith i'w chyhoeddi roedd yn awyddus iawn i ddal ar y cyfle i dalu teyrnged i Mrs. Gladys Griffiths. Yn y gyfrol hon, felly, ceir llythyr a sgrifennwyd gan Dennis Brutus ym mis Ebrill 1985 a hefyd aralleiriad D. R. Griffith o un o'i gerddi, sef 'Beirdd'.

Petra

Fel y fam, felly'r ferch. Er i D. R. Griffith yn ei gerdd iddi ddatgan y gwir reswm dros ddewis Petra yn enw ar eu hunig blentyn, cofiwn yr un pryd am y gair *petra* yn golygu 'craig', ac am eiriau'r Iesu wrth Pedr : 'Ar y graig hon yr adeiladaf fy eglwys.' (Mathew XVI, 18). Fel ei rhieni, bu hithau yn dŵr cadarn i bob achos da. Graddiodd mewn Ffrangeg gydag Anrhydedd dosbarth cyntaf yng Ngholeg y Brifysgol Aberystwyth a chafodd radd M.A. Prifysgol Sussex. Yn fuan wedyn troes at waith cymdeithasol a hynny gydag ymroddiad nodedig iawn. Wedi cyfnod byr yn gweithio i Gyngor Islington, Llundain, bu'n ymchwilydd i *Shelter*, a hi oedd awdur yr adroddiad pwysig *Homes Fit for Heroes: A Shelter Report on Council Housing* (1975). Tra bu'n gweithio i'r Cyngor Defnyddwyr Cenedlaethol (National Consumers Council) bu'n un o dair a baratoes yr adroddiad *Patients' Rights: A Guide to the Rights and Responsibilities of Patients and Doctors* (1982).

Yna, wedi dioddef ei hunan o gancr a chael llawdriniaeth lwyddiannus yn 1981, gweithiodd yn ddiarbed i gynorthwyo eraill sy'n dioddef o'r clefyd. Hi oedd cyd-sefydlydd Cadwyn Cancr — *Cancer Link,* ac y mae'n parhau i wneud gwaith rhagorol yn y maes hwn. Yn rhifyn 7 Mehefin 1986 o'r *British Medical Journal* ysgrifennodd erthygl ar y cyd gyda Tom Brown yn dwyn y pennawd: Cancer Self-Help Groups: An Inside View'. Y maent yn cloi eu herthygl gyda'r geiriau a ganlyn :

> We believe that cancer self help groups are an effective means of helping people face very difficult times and enabling them to find their own strength . . . To speak personally, for both of us involvement with the cancer self help movement has given a new dimension to our lives and enabled us to turn a very frightening and painful experience into a life giving force.

' Mae'r oll yn gysegredig.'

Yn ei gerdd 'Rhanna dy Bethau Gorau' fe ysgrifennodd R. H. Jones, y bardd o Fro Hiraethog, y geiriau hyn :

> Rhyw nefoedd wael yw eiddo'r dyn
> Fyn gadw'i nefoedd iddo'i hun.

A rhoi balm ar friw, rhannu ag eraill bopeth gorau'n bod, a wnaeth D. R. Griffith yntau, fel ei briod a'i ferch. Derbyniodd yn helaeth o roddion a bendithion bywyd : cael perthyn i deulu nodedig; cael rhannu aelwyd â phriod hoff ac annwyl ferch; cael cwmni mwyn cyfeillion; cael gwaith wrth fodd ei galon; a chael pregethu'r Gair o Sul i Sul. Derbyn yn hael. A rhoi yn hael yn ôl. Mor fawr ei ddyled. Gallai ddweud gyda T. H. Parry-Williams yn ei gerdd 'I'm Hynafiaid' :

A dyna pam gan gymaint a roed im
Nad ydwyf yn dyheu am odid ddim.

Hyn yw byrdwn ei ganu. Salm o fawl ydyw i orfoledd a
rhyfeddod byw a bod. Canu i'r cariad tragwyddol sy'n pontio
cyfandiroedd ac yn rhychwantu amser, yn clymu dyn a dyn yn
gadwyn gref ac yn troi'r marw'n fyw. Y mae hefyd yn weddi :
gweddi ar gân mewn cerdd ac emyn am i ninnau gael teimlo
gronyn o'r cariad hwn a'i rannu ag eraill, fel y bo iddynt
hwythau, fel ninnau, brofi o wynfyd y rhai sy'n rhoi yn hytrach
na derbyn.

D. R. Griffith fyddai'r cyntaf i gyfaddef i nifer o gerddi
gael eu dethol i'w cyhoeddi yn bennaf oherwydd eu cynnwys
a'u hapêl bersonol. Nid oes neb a wad, fodd bynnag, fod yma
fardd a chanddo neges o'r pwys mwyaf i'n dydd a'n hoes. Felly
yn yr un modd mewn rhai cerddi nas cynhwyswyd yn y gyfrol
hon o ddiffyg gofod, megis ei gyfieithiad rhagorol o'r Lladin o
Bedwerydd Eclôg Meseanaidd Fyrsil. (Enillodd y wobr gyntaf
am y cyfieithiad hwn yn Eisteddfod Genedlaethol Cymru, Caer-
dydd, 1938. Fe'i cyhoeddwyd yn *Cerddi o'r Lladin,* gol. J. Gwyn
Griffith, Gwasg Prifysgol Cymru, 1962.)

Amheuthun hefyd yw cael cyfrol o farddoniaeth ag iddi
gwmpas mor eang, barddoniaeth sy'n ddrych o fywyd yn ei
gyfanrwydd : hynt a helynt dyn o febyd i fedd; y llon a'r lleddf.
Meddai'r awdur yn *Cerddi Cadwgan* mewn ateb i'r cwestiwn :
'A oes lle mewn barddoniaeth i bropaganda ?'

> O'r braidd y gellir achub y gair propaganda bellach a'i dynnu
> oddi wrth ei gysylltiad isel-wael. Gwell peidio â'i ddefnyddio
> o gwbl am farddoniaeth. Ond credaf er hynny fod gwaith
> pob bardd yn *dystiolaeth* i'w gredo sylfaenol a'i werthoedd
> llywodraethol mewn bywyd. Erys hyn yn wir pan fo'n ymosod
> ar gredoau a gwerthoedd pobl eraill. Hoffaf waith y beirdd
> hynny a ŵyr am rywbeth dyfnach na hunan-fynegiant a
> hunan-faldod ac a ymgyflwynodd i rywbeth rhagorach na
> hunan. 'Cymerodd ei hunan yn rhy ddifrifol, a straeniodd ei
> du-mewn,' meddai E. M. Forster am Tennyson.

Ni all neb ddweud hynny am D. R. Griffith. Er iddo ef a
minnau rannu cynnwys y gyfrol hon yn dair rhan : 'Cerddi',
'Emynau', a 'Phytiau Byrion Ysgafn', nid adrannau ar wahân

mohonynt, fel y cyfryw. Y mae iddynt unoliaeth bendant : moli
Crëwr a Chynhaliwr Bod; cofio cwmni mwyn cyfeillion; canu'n
chwareus i droeon yr yrfa. 'Ni bu ddigrifwch heb ddagrau
hefyd', medd y bardd. Canlyniad ffydd yw'r gallu i chwerthin.
Un funud y mae mynegiant yr awdur yn ddifrifol ddwys, fel yn
'Os Dioddefwn', y gerdd gyntaf yn Adran 1 :

> Mae'r gwaed yn llifo'n gyflym
> Yn ein gwythiennau ni,
> Ni chollwyd yr un defnyn
> Ar unrhyw Galfari . . .

Dro arall y mae'r mynegiant yn ysgafn, ddireidus, ac weithiau'n
ddychanol, fel yn 'Y Clwb Seboni', y gerdd gyntaf yn Adran 3 :

> . . . Blodeua awen hwn a hwn
> Fel deilen deg o riwbob;
> Bob tro y mae'n sgrifennu gair
> Mae'n foment fawr i Ewrob!

Yr awdur ei hun a ddewisodd y teitl 'Defosiwn a Direidi'. Ni
ellid ei well. Chwedl Islwyn : 'Mae'r oll yn gysegredig.'
   Y mae bod yng nghwmni D. R. Griffith yn arial i'r galon.
Fy ngobaith innau yw y bydd i ddarllenwyr y gyfrol hon
hwythau ymdeimlo â'r ysbryd arialus hwn.

Gair o ddiolch

   Y mae'r awdur eisoes wedi diolch i Wasg Gee am gyhoeddi'r
gyfrol. Mawr yw fy niolch innau am gydweithrediad hapus
iawn. Yr un modd diolchaf yn ddiffuant i'r Parch. Raymond
Williams am gymwynasau lawer, ac i Howard Williams, Caer-
dydd, am ei holl awgrymiadau gwerthfawr.
   Yn olaf, diolchaf o galon i D. R. Griffith am ei foneddig-
eiddrwydd a'i garedigrwydd mawr bob amser, a dymunaf iddo
ar ran darllenwyr y gyfrol hon a'i lu cyfeillion iechyd a phob
llawenydd.

> I'r mwynaf un eiddunaf — ogoniant
> Y gwanwyn tyneraf;
> Hedd yr awel dawelaf
> A gwynfyd yr hyfryd haf.

Awst 1986.   R.G.

Rhan 1

CERDDI

'OS DIODDEFWN'

Mae'r gwaed yn curo'n gyflym
   Yn ein gwythiennau ni,
Ni chollwyd yr un defnyn
   Ar unrhyw Galfari.

Ni chafodd un o'n breichiau
   Mo'i lledu ar y pren;
A dieithr ydyw'r blethdorch
   O ddrain sydd ar Dy ben.

Rhy dyner yw ein dwylo
   I'w briwio ar y groes,
A gresyn inni golli
   Holl ogoniannau oes.

Coronog Grist Calfaria,
   Yn Dy drugaredd bur,
Maddau i ni am chwennych
   Dy goron heb Dy gur.

DEILLION

Ni welant yn ing Gwaredwr
  Bŵer i lunio eu byw,
Dim ond y corff crymedig
  Wedi ei daro gan Dduw.

Ni welant un gwrid o goncwest
  Yn tonni, dro, dros Ei wedd;
Dim ond ysglyfaeth angau
  Yn suddo i waelod bedd.

Ni welant draed y Gwaredwr
  Yn hir-ymlwybro o'u blaen;
Dim ond Crist marw'r beddrod
  A mwsogl a maen.

Agor lygaid y deillion
  Â grym Dy glwyfedig law,
Rho iddynt hoen Dy enaid,
  Feistr y byd a ddaw.

Y DIORFFWYS

A wyddai'r Galilead,
  Arglwydd y glân a'r gwir,
Am ambell nos anesmwyth
  Â'i horiau'n orthrwm hir?
Am droi a throsi nes dod dydd
Mewn pryder ofnus am a fydd?

A gadwai Duw y lili
  A Duw aderyn y to
Bob cynnwrf ac ansicrwydd
  Rhag tarfu'i galon o?
A deimlai angen ffrind a lŷn
Ac ofn bwriadau Duw a dyn?

Feistr â'r galon dawel
  A'r wyneb dewr, di-fai,
Rho darian Dy dangnefedd
  Dros y diorffwys rai;
Gad iddynt weld y grym a'r hedd
A'r llonydd dwfn sydd yn Dy wedd.

PAN SYRTHIO F'ENAID

Pan syrthio f'enaid i drymgwsg blin,
   A'm ffydd yn swrth, O Dduw,
Rho weld anturiaeth a her y drin,
   A bagad peryglon byw.

Gweld Mab yn marchogaeth cwmwl nef,
   Gweld gwaed y Sanct yn sarn,
Pob nos yn nos y bradychir Ef,
   Pob dydd yn ddydd y Farn.

DEISYF

(Trosiad rhydd o waith Saesneg gan fardd anadnabyddus.)

Iesu, a fuost gyda ni,
A ddygaist groesau dwys, di-ri',
Y Saer, y cablwr, crwydrol, tlawd,
Gwaredwr, Arglwydd, Brenin, Brawd;
Pan ddaeth holl gynyrfiadau D'awr,
A ffawd byd yn y fantol fawr,
Swperaist gyda'th ddeuddeg blin,
Ymgomiaist uwch y cwpan gwin,
Wynebaist angau yn ddi-gryn,
Yn dawel, heb deyrngarwch dyn.
A deimlaist yn Dy farwol lef,
A wasgwyd dro o'th fynwes gref
Gan oriau ing ac artaith gudd,
Mai ofer bywyd a di-fudd?
Rho imi gael a chadw'n bur
Dy galon lân, Dy ysbryd dur.

Y GAIR YN GNAWD

Arglwydd a roddaist ddwyfol Frawd
   I'n hil ddi-Grist, ddi-obaith,
Cofiwn Dy rodd o'i symledd tlawd
   A rhyfedd rawd y Perffaith.

O'i gri eiddil yn ei grud
I'w gri ingol ar ei groes,
Caed daear i'th air dwyfol.
Y gair a yrrodd y tadau ar grwydr
Drwy ddiffeithleoedd
I'r wlad gyfannedd;
Y gair a ysodd broffwydi yn wenfflam
A'r aur di-lwgr
Yn fflachio'n siwr yn eu sorod;
Y gair a roes loniant i bêr salmyddion
Nes llifo o'u llesmair
Yn gân gyforiog:
Y geiriau oll a gronnwyd yn y Gair.

O gofio yn awr y tlodi anfeidrol,
A'r dwyfol ymostwng,
Rho inni'r llawenydd
Nas ceir mewn rhialtwch,
Rho inni'r ddoethineb
Nas ceir mewn llyfrgelloedd,
Rho inni'r tangnefedd
Nas ceir mewn cynhadledd.

Arwain ni'n ôl
O'n ffôl ffantasïau
At wendid plentyn y crud,
A grym y Gŵr ar y groes.

YR YSBRYD GLÂN

O Ysbryd nad adwaenir!
Anhysbys un y Drindod,
Y Tad a adwaenom,
Y Mab a adwaenom,
Ond pwy, atolwg, ydwyt Ti?

Monopoli'r crancod Cristnogol,
Tenant y slymiau eglwysig
Nas gwelir ym mhlasdai mawr y Ffydd!
Pob strôc a stranc ysbrydol
Sy'n ffrwyth dy gyniwair annelwig di.
Dy hen ŵyl a esgeuluswn,
Heb firi'r Nadolig,
Heb artaith y Groglith,
Heb goncwest y Pasg;
A phery'r diwinyddion dyfnlais i ddadlau
Ai peth ai person ydwyt,
Neu berthynas rhwng personau.

O rymusaf Ysbryd
A drigaist heb atal na hual
Yn enaid digeulan y Crist,
Chwyth dros isel ddyffrynnoedd
Ein llugoeredd a'n llesgedd,
Bywha ni i sefyll
Yn rhengoedd anorthrech byddinoedd Duw.

O dyneraf Ysbryd,
Rhoddiad y cariad rhad
Sy'n dygyfor drwy'r cread,
Llifa'n rhaeadrau pur
Dros ein calonnau crin;
Adfer yn awr ynom ni
Sifalri gloyw'r groes.

Y Parchedig D. R. Griffith.

Mrs. Gladys Griffiths.

Y Parchedig Robert Griffiths, tad D. R. Griffith.

Mrs. Mimah Griffiths, mam D. R. Griffith, gyda'i hŵyr, Robat Gruffudd, Gwasg y Lolfa, Tal-y-bont.

Yr Athro Dennis Brutus, yn 1966.

NORTHWESTERN UNIVERSITY
COLLEGE OF ARTS AND SCIENCES
EVANSTON, ILLINOIS 60201

DEPARTMENT OF ENGLISH

April, 1985.

I am grateful for the opportunity
to pay tribute to the spirit of
Gladys Griffiths who, in her
quiet and unaffected way,
was an inspiration to me and
to many others in our struggle
to build a just and peaceful
world, free of racism & oppression.

Sincerely,
Dennis Brutus,
President, SAN-ROC
(South African Non-Racial Olympic
Committee).

Llythyr Dennis Brutus at D. R. Griffith.

Gladys a D. R. Griffith ar gychwyn i Eisteddfod Genedlaethol Cymru, Caerdydd, Awst 1960. (Roedd D.R.G. yn beirniadu cystadleuaeth traethawd ar y Testament Newydd.)

Petra Griffiths.

YR OEDD YN NOS

*(Efengyl Ioan XIII, 30: 'Yn union wedi cymryd y tamaid bara
aeth Jwdas allan. Yr oedd hi yn nos.')*

Lleuad y Pasg oedd olau
　Dros wyneb maes a llwyn,
A thros bob afon arian
　Llewyrchai'n hudol-fwyn.

Yn yr oruwch-ystafell
　A'i bara torr a'i gwin
Yr oedd goleuni sanctaidd
　Ar wyneb Mab y Dyn.

O ŵydd ei hen gymrodyr,
　Ar dyngedfennol awr,
Aeth yr Iscariot allan,
　A daeth y nos i lawr.

MYFYRDOD YNG NGHAPEL COLEG LEAVESDEN

*(Aeth y golau allan yn ystod un o'r gwasanaethau. Gweler
Datguddiad I, 16: 'Yn ei law dde yr oedd ganddo saith seren
. . . ac yr oedd ei wyneb yn disgleirio fel yr haul yn ei anterth.')*

Pan syrth y t'wyllwch olaf
  Ar hollfyd, ddydd a ddaw,
Ni ddiffydd golau'r seithsêr
  Sy'n ddisglair yn Ei law.

Bydd moliant pob rhyw gysegr
  Yn dawel a di-hoen;
Ni dderfydd y digrifwch
  Yn nheyrnas Crist, yr Oen.

Troi'n lludw wna hyfrydwch
  Allorau gwlad a thref,
Ond ni fydd pall ar degwch
  Ei wyneb sanctaidd Ef.

Fe chwelir yr holl groesau
  Sy'n brawf o'n cariad ni,
Ond llwyr annileadwy
  Ei glwyfau dyfnion fry.

Y mae'r penillion blaenorol yn gyfieithiad o'm cerdd Saesneg a
ganlyn:

When the last darkness deepens
  Around our erring race,
The light of unspent glory
  Will shine upon His face.

The songs will fall on silence
  Where men keep prayer and trust,
No festive joy that ceases
  In the royal court of Christ.

When unlit altars crumble
In every earthly land,
The seven stars will be gleaming
In his unwearied hand.

Oblivion shall envelop
The crosses of our love,
Eternally imprinted
The wounds He bears above.

Y SWMBWL YN Y CNAWD

(II Corinthiaid XII)

Pan oedd balchder yn ceisio fy nhemtio
I ymffrostio, fel un ar wahân,
Daeth saethau o boen a dioddefaint,
Y swmbwl a'm llethodd yn lân.

Ac er imi ofyn a gofyn
Am symud y pla dieflig hwn,
Ni chefais un gobaith ymwared,
Na dim ysgafnhad ar fy mhwn.

Ond, a'm henaid yn llawn o wrthdystiad
A'm calon yn friw ac yn drist,
Cefais nerth a berffeithir mewn gwendid,
Cefais ras sy'n ddigonol gan Grist.

Y TRI CHALENDR

Saif calendr Iwl Cesar
　Yn dwt ar furiau'n tai;
Tri chant chwe deg pum niwrnod,
　Yn unffurf, fwy neu lai.

Ond calendr Crist Iesu
　Sydd ar wahanol wedd :
Ei eni a'i fywyd a'i farw
　A'i goncwest dros y bedd.

Mae eto galendr arall,
　Nid oes ond ni a'i gwêl,
Y brofedigaeth breifat
　A'r fuddugoliaeth gêl;

Cofiadur cudd y dyddiau
　O fwyniant pur di-loes,
A'r dyddiau sydd â'u mwrllwch
　Yn gordoi gweddill oes.

A ninnau, ddeiliaid amser,
　Â'n dyddiau llawn, di-lun,
Yn ceisio'n ddygn gyd-blethu
　Y tri chalendr yn un.

TAIR DELWEDD

(Seiliedig ar Baron, Friedrich von Hügel (gol. Douglas V. Steer),
Spiritual Counsels and Letters, *85-86. Dywed y Barwn,*
'Gadewch imi roi tair delwedd i chwi a fu'n gymorth i mi ar
lawer milltir galed ('many a flinty furlong')', mewn llythyr at
Gwendolen Green.)

Mae'r dringwr mynyddoedd yn gwybod yn dda
Fod trwch mawr o niwl weithiau'n disgyn fel pla,
Yn orchudd i'r bryniau o'u gwaelod i'w pen :
Rhaid ymguddio ac aros, nes cyfyd y llen.

Wrth deithio ar foroedd gŵyr y llongwr yn siŵr
Y gall stormydd dychrynllyd gynhyrfu y dŵr;
Mae ganddo ei gaban a'i hanfodion wrth law,
Ac yno mae'n aros — yr hindda a ddaw.

Wrth fynd drwy'r anialwch a'i sychder di-baid
Gall y gwynt chwipio i fyny y tywod a'r llaid.
I lawr o'r hen gamel! Gorwedd raid ar eich hyd,
Nes bod stormydd y tywod yn darfod i gyd.

Ac felly mae'r enaid, wrth fynd ar ei hynt
Yng nghanol y niwloedd, y tonnau, a'r gwynt;
Mae'n rhaid ymdawelu, ymlonyddu yn lân,
A dwyn ffrwyth, hyd nes dychwel y llonder a'r gân.

BEIRDD

(Dennis Brutus, 'A wrong-headed bunch we may be . . .'.)

Hwyrach mai carfan o ffyliaid ydym,
Ond bydd cyrff y beirdd bob amser
Yn eingion; arnynt y trewir ac y ffurfir
Ffawd ein pobl o'r newydd.
Rhaid inni farw,
Rhaid inni brynu
Dyfodol newydd, gonest.

Bydd yn rhaid rhwygo'r cnawd
I dorri hualau gorthrwm estron,
Ond ymbalfalu â'n bysedd briw
Tua'r golau a thua chyfiawnder.
O boed inni ymwroli ac ymnerthu
A bod yn ddi-ildio wrth ganlyn y gwir.
Ysbrydion y dewrion,
A fu farw dros wybodaeth a gwirionedd a rhyddid,
Ysbrydion fy hynafiaid,
Caethweision a dalodd y chwerw bris am fod yn rhydd,
Rhowch i mi gadernid a gwroldeb,
Fel y byddwyf finnau hefyd
Yn ffrwyth toredig ac aeddfed-barod.

*(Cyfieithiad o gerdd gan Dennis Brutus yw'r uchod. Mynegodd
ei ddymuniad i gynnwys un o'i gerddi yn y gyfrol hon er cof am
fy niweddar briod, Mrs. Gladys Griffith.)*

Y TEGANAU

(Coventry Patmore, 'The Toys'.)

Digwyddodd rywdro i'm mab bychan
A arferai fod yn ufudd yn ei ffyrdd
Droi yn anufudd tost.
Gwrthododd hyd at seithwaith
Ymateb i'm ceisiadau taer;
Fe'i trewais yn fy nig
A'i yrru i fyny i'w wely
Â geiriau llym,
Yn ddigysur, yn ddigusan.
Pe bai ei fam yn fyw
Diau y cawsai dynerach law i'w drin.
Ac yna toc,
Rhag ofn na fedrai gysgu wedi'r storm,
Euthum i'w weld
A'i gael yn cysgu'n ddwfn
A'i lygaid eto'n wlyb gan ddagrau lu.
Wrth ei gusanu
Gadewais i fy nagrau innau ar ei rudd;
Cans yno, ar fwrdd gerllaw ei wely,
Yr oedd ei hoff deganau —
Cregyn y môr a marblis,
Blodau a darnau arian o Ffrainc,
Blychau o deganau o bob math,
Y cwbwl i gysuro'i galon drist.
Ac yna wrth noswylio
A throi at ein Tad nefol
Deisyfais, yn fy nagrau :

'O Dad, pan ddeuwn ninnau bob yr un
I'r olaf dangnefeddus hun
A dyfod ger Dy fron, a'r dydd yn cau
Yn ein holl wendid a'n ffolineb brau,
Wrth i Ti weld yr holl deganau ffôl
Y buom yn hir ganlyn ar eu hôl,
A pha mor bell y buom, ar ein taith,
O goledd D'orchymynion uchel, maith,
Yna yn dadol-dyner, a wnei Di
Estyn Dy bardwn i rai fel nyni?
A dweud yn Dy diriondeb dwyfol-fawr,
"Maddeuaf eich plentyneiddiwch, blant y llawr." '

DINIWEIDRWYDD A PHROFIAD

(Cyfieithiad o rannau o gân Charles Péguy o dan y teitl uchod.)

O'm rhan i, medd Duw, ni wn am unpeth mor brydferth yn y
    byd i gyd
Â chrwt bach, yn yr ardd, yn cael sgwrs â Duw Dad;
Yn gofyn cwestiynau a'u hateb ei hunan (y mae'n well felly),
Dyn bach yn dweud ei drwbwl wrth y Brenin mawr,
Mor ddifrifol â neb yn y byd,
Ac yn cysuro'i hunan fel pe bai'r Duw mawr yn ei gysuro,
Ac yn wir y mae'r geiriau cysur y mae'n eu llefaru
Yn dod yn union ac yn briodol oddi wrthyf fi.
Nid oes dim yn y byd mor brydferth, medd Duw,
Â phlentyn yn mynd i gysgu wrth ddweud ei bader,
Na, dim yn y byd.
Fe welais, hefyd, ogoniannau lawer yn y byd,
Mae fy nghread yn gorlifo gan ryfeddodau;
Gwelais filiynau a miliynau o sêr
Yn rholio dan fy nhraed fel tywod y môr,
Gwelais ddyddiau tesog o haf yn llosgi fel fflamau,
A nosweithiau gaeaf yn ymdaenu fel clogyn;
Gwelais lethrau'r Meuse a'r eglwysi sydd fel tai i mi fy hun,
A Pharis a Reims a Rouen, a'r eglwysi cadeiriol sydd yn
    balasau a chestyll i mi,
Mor brydferth nes y byddaf yn eu cadw yn y nefoedd.
Gwelais brif-ddinas y deyrnas a Rhufain, prif-ddinas gwledydd
    Cred,
Clywais lawer offeren a gosber gorfoleddus,
Gwelais wastadeddau a dyffrynnoedd Ffrainc,
Sydd mor hardd ag y gall dim fod;
Gwelais y dyfn-foroedd, y fforestydd dwfn a chalon ddofn
    dyn.
Ond dywedaf wrthych, medd Duw, na wn am ddim mor
    brydferth yn y byd i gyd,
Â phlentyn bach yn mynd i gysgu wrth ddweud ei bader,
Dan adain ei angel gwarcheidiol.

HEDDWCH A RHYFEL

*('Your war is our peace': y di-waith wrth weddill cymdeithas,
yn ôl Middleton Murray.)*

Gyfeillion diwreiddiedig
Y ffatrïoedd diseibiant,
Tybed a fyfyriwch weithiau
Am bethau a fu ac a fydd?
Yng nghanol brys chwyslyd eich presennol
A gofiwch am y gorffennol llwyd
Pan ddaeth Tlodi at eich drws
A chrechwen sinistr dros ei wep,
A'i gap brwnt a'i siwt rhacs
A mwffler diobaith am ei wddf
A milgi main ar ei ôl
A'i lef wichlyd-fygythiol,
'Eiddof fi fyddwch chi'?
Y dyddiau pan ddywedent amdanoch
Mewn perarosiynau dagreuol
Eich bod yn dlawd ond yn canu cân,
Yn llwgu'n felodaidd iawn
O dan y dôl tywysogaidd.
'Dyddiau hedd', meddent hwy,
Ond 'Dyddiau diddiwedd eu gwae
A dirdynnol eu poen', meddech chi.
Ac yna pan ruthrodd y byd anniben
Dros ochrau'r dibyn
Â naid Gadaraidd i'r dwfn,
Daeth hedd yn ei ôl i chi,
A thipyn o brês a chysur
A rhai o'r hen ddiddanion;
A chadwyd wyneb macabr angau i ffwrdd.
Ond beth a fydd ar y dydd
Y gorffennir â'r bom a'r bidog a'r siel?
A enir byd y sloganau,
A wireddir 'addewidion melys wledd'?
A fydd tipiau Iwtopia
Yn aur neu yn ddu?

YN LLYDAW: Y NODYN COLL

Cofiadwy, ein cyfeillion,
Oedd eich Calfarïau afrifed;
Y Crist tristwedd, trywanedig,
Yn hongian yn ingol,
A'i geraint galarus wrth ei groes.
Wrth inni edrych arno
Yn grwm dan bwn ei boenau,
Bron na allem glywed
Ei ddolef olaf ddirdynnol.

Ac eto — fel yr hiraethem hefyd
Am glywed y nodyn coll,
Banllef ysgytwol-goncwerus
Et resurrexit*
Johann Sebastian Bach!

* Yn yr Offeren yn B Leiaf. Protestiodd Michelangelo un tro am fod ei
gyd-arlunwyr yn portreadu Crist yn ei farwolaeth yn hytrach nag yn
ei atgyfodiad.

Y GORCHYMYN A DORRWYD

*('Please, Mr. Griffiths, don't put me on a pedestal.' — Gladys,
yn ei llythyr ffurfiol olaf ataf, Ionawr, 1941, cyn i'r berthynas
rhyngom newid.)*

Mae rhai gorchymynion a gadwn
   Yn gaeth drwy'r blynyddoedd maith;
Mae eraill a gadwn yn symol,
   Er bod hynny'n dipyn o waith.

Ond mae eraill a dorrwn yn chwilfriw.
   Anwylaf, hyfrytaf ferch,
Buost am ddeugain mlynedd
   Ar bedestal fy serch!

Y LLEIDR

Syllais i ddwfn y llygaid glwys,
A deall eu lleferydd dwys;
Gweld disgwyl y gwefusau gwin,
A chryndod cariad ar eu min.

Ni thyciodd ddim y pledio wnaed
Ar Amser i arafu'i draed;
Ni chlyw, nid erys, ac ni wêl,
Hen leidr ein munudau mêl.

PETRA

(Pan anwyd ein merch, Petra, bu llawer o ddyfalu gan ein cyfeillion dysgedig ynglŷn â'r enw.)

Y Dwyrain Canol oedd gennych mewn cof
   A'r ddinas a edmygir gan lawer:
Petra, 'y ddinas rosynnog-goch
   Sydd hanner mor hen ag amser.'[1]

Neu, troisoch i fyd y llwyfan mawr
   Ac i ddramâu Ibsen toreithiog,
Mae'r enw Petra'n wybyddus iawn
   Trwy waith y Norwyad enwog!

Neu, dangos yr oeddech ryw duedd ddofn
   At Rufain, yn gudd neu'n ddiamwys,
Oni ddywed Efengyl Mathew'n glir
   Mai Pedr yw *petra'r*[2] Eglwys!

Ond gyfeillion — ar gyfeiliorn i gyd!
   Daeth i ran fy ngwraig fel athrawes
Fod yn dysgu Cymraes fach hyfryd yng Ngwent
   A'i henw yn Petra[3] — dyna'r hanes!

---

[1] 'A rose-red city "half as old as time"' (Y Deon Burgon. Dyfynnu ymadrodd o waith Samuel Rogers a wna yn ail hanner y frawddeg).
[2] Y gair *petra* a ddefnyddir yn Mathew XVI, 18, am 'graig'.
[3] Petra Davies, Casnewydd, a ddaeth yn actores o fri yn nes ymlaen.

45

MYFYRDOD

yng nghapel Moreia, Pentre, Rhondda, wrth gofio am fy nhad,
y Parch. Robert Griffiths.

Ni chawn ymadrodd heno
 O'r neges eirias, gref;
Mae'r gennad mwy yn gwrando
 Ar ei leferydd Ef.

Ni chawn gyffyrddiad heno
 O'r hen arabedd cu;
Mae'r gennad yn ymgolli
 Yn y digrifwch fry.

Ni chawn un fflachiad heno
 O'r llygaid gloywon, taer;
Mae'r gennad mwy yn syllu
 Ar y Goleuni claer.

Ond — un yw'r ddeufyd heno,
 Un yw'r gymdeithas wiw:
Annatod ydyw'r rhwymau
 Sydd o gylch gorsedd Duw.

ER COF AM FY EWYTHR,
Y PRIFATHRO JOHN GRIFFITHS,
COLEG Y BEDYDDWYR, CAERDYDD

Myfyriodd y memrynau
A'r llawysgrifau lu,
Gwelodd ym mhob tudalen
Y Gogoniant a fu.

Hir arhosodd yng nghwmni
Ioan a Phedr a Phawl,
Gwelodd goruwch eu geiriau
Yr annaearol wawl.

Acenion Galilea
A ddaeth yn rhydd i'w fyd,
Yng nghronicl yr Iesu
Gwelodd Ei wyneb-pryd.

Carodd yr Un a fu'n hongian
Gynt, dan watwaredd coeg,
Y Brenin â'i deitl trifflyg
Lladin, Hebraeg a Groeg.

Llyfr tynghedfen y ddaear*
(Dirgel ei bla a'i boen),
Fe'i gwêl yn olau-agored
Mwyach gerbron yr Oen.

---

* Sgrôl neu lyfr a seliwyd â saith sêl, a Christ yn unig yn deilwng i'w agor.
Gw. Datguddiad V.

CIPOLWG AR YR EGLWYS FORE

1. Y GOMIWNYDDIAETH GRISTNOGOL

(Cymharer Tertwlian, Amddiffyniad, *Pennod 39.)*

Fe fyddwn yn casglu ein harian,
Pob un yn fodlon ei gyfran,
I helpu'r amddifaid a'r tlodion,
Hen gaethweision a charcharorion,
A cheisiwn bob amser gydnabod
Y rhai sydd yn dystion cydwybod.

Fe rannwn ein heiddo hefyd,
Fel rhai o'r un meddwl ac ysbryd.
Ond daw'n comiwnyddiaeth ni i'w diwedd,
Lle mae llawer yn dechrau — â'u gwragedd!

2. ERLEDIGAETH

(Tertwlian, Amddiffyniad, *Pennod 50.)*

Ymlaen â chwi, ynadon da! Fe gewch yn siwr eich canmol
Bob tro y byddwch yn aberthu dilynwyr Crist i'r bobol!
Poenydiwch ni, arteithiwch ni, a'n gwasgu a'n gorthrymu,
Ni fydd eich holl greulondeb ond yn brawf o'n gwir ddaioni.
Mae'ch creulonderau llym, wrth fynd yn fwy-fwy creulon,
Yn ddim ond modd i ni gael ennill mwy o ddynion!
Ar gynnydd awn, er cael ein torri i lawr yn ddigllon,
Oherwydd had yn wir yw gwaed y Cristionogion!

(Ygrifennwyd yr Amddiffyniad *tua 197-198 O.C.)*

DADRITHIO

('A spritual leader who has lost his illusions about mankind and retains his illusions about himself is insufferable. Let the process of disillusionment continue until the self is included — it is at that point that true religion is born.'

Reinhold Niebuhr, Leaves from the Notebooks
of a Tamed Cynic, *112.)*

Wedi colli'n ffôl ddaliadau
Am y byd ac am bersonau,
Rhaid yw cael ein llwyr ddadrithio
Amdanom ni ein hunain eto.
Yna, wedi colli'r cyfan,
Daw gwir grefydd i ni'n gyfran.

VIA DOLOROSA YR YSBRYD GLÂN

('Hanes yr Eglwys yw via dolorosa *yr Ysbryd Glân.' — H. Wheeler Robinson. Cymh. Effesiaid IV, 30: 'Peidiwch â thristáu Ysbryd Glân Duw.')*

Bu'r Meistr dan fflangell a hoelion
Cyn rhoddi Ei olaf gri;
Ac oni chroeshoelir yr Ysbryd
Gan ein pechodau ni?

49

MARTIN BUBER AC ALBERT SCHWEITZER

(Yn seiliedig ar lythyr a ysgrifennodd Buber at Schweitzer, pan gafodd yr olaf ei ben-blwydd yn bedwar ugain. Gweler Aubrey Hodes, Encounter with Martin Buber, 170-1.)

Ers blynyddoedd lawer, fy nghyfaill,
   Bu'n ysgogiad a chysur diffael
Bod cynorthwywr cyd-ddyn fel chwi
   Mewn byd di-hid fel hwn i'w gael.

Fe ddywedai rhai o'r *hasidim*
   Pan fo rhywun yn helpu ei frawd,
Bod rhyw angel yn cael ei eni
   I ymweled â'n hen fyd tlawd.

A gobeithiaf, fy annwyl Schweitzer,
   Y cewch chwithau flynyddoedd di-ri
I glywed adenydd angylion
   Yn curo o'ch cwmpas chwi!

LLUNIWR HANES

('Y mae Meistr hanes o hyd yn dwyn daioni allan o ddrygioni dros bennau gwneuthurwyr hanes.' — Dietrich Bonhoeffer, Letters and Papers from Prison, 138.)

Mae Lluniwr hanes wrthi o hyd
Dros bennau llywiawdwyr brau y byd,
Ar waethaf cynlluniau'r croch eu llef
Yn creu Ei Hanes achubol Ef.

BRAWD A CHWAER

(Yn seiliedig ar adran o lyfr Teilhard de Chardin ar Ddioddefaint.)

Mi gefais i fy rhyddid llawn
   Heb un caeëdig ddôr
I deithio'n ddilyffethair ffri
   Wrth fynd o fôr i fôr,

Gyfandir ar ôl cyfandir
   A'm hegni'n frwd o hyd,
Gweld holl ddirgelion natur
   A llun a lliwiau'r byd.

Ond tithau, Marguerite, fy chwaer,
   Yn gaeth ar wely cur
Yn trawsffurfio'r blin gysgodion
   Yn olau â'th ysbryd pur!

Tybed, pan edrych yr Arglwydd
   Ar ein hamrywiol rawd
Ai ti ddewisodd y rhan orau
   Yn hytrach na dy frawd?

LLYFR GWEDDÏAU JOSEPH HARRY

(Sef llyfr helaeth o weddïau ar gyfer bore a nos a gafodd fy
mam yn Ysgol yr Hen Goleg, Caerfyrddin, lle'r oedd Joseph
Harry yn brifathro. Yn Saesneg y maent, a'r tebygrwydd yw
mai patrymau o weddïau oeddent a roddwyd i'r myfyrwyr nad
oedd wedi arfer â'r Saesneg erioed.)

Mae arnynt ôl eu cyfnod eu hunain;
  Nid ydynt, wrth gwrs, yn ddi-nam.
Ond mae rhywbeth di-dranc mewn defosiwn
  Yn ysgrifen gymen fy mam.

MARCONI : Y GWIR RYFEDDOD

(Hanes am sgwrs rhyngddo â gwraig edmygus. Yn Larnog
(Lavernock), ger Penarth, y bu rhai o arbrofion cyntaf Marconi
wrth geisio darlledu dros y môr.)

'Wyddonydd enwog, onid yw eich gwaith
  Ar radio a'r di-wifr yn rhyfeddod mawr?'
'Na, nid yw'n hanner mor rhyfedd, yn wir,
  Â'n bod ni'n dau yn siarad â'n gilydd yn awr.'

Mae holl gywreinwaith y llygad a'r glust,
  Cyfrinion y llais a sain ieithoedd di-ri',
A thu ôl i'r cyfan ryfeddod mwy,
  Dirgelwch dihysbydd 'Tydi' a 'Myfi'.

Y GANTORES BERSAIN

(Clywed Bessie Lang, unawdydd y City Temple yn Llundain yn canu: 'My heart ever faithful' (Bach). Ni fydd neb a glywodd Bessie Lang yn canu yn debyg o anghofio'r profiad yn hawdd.'
Dr. E. A. Payne mewn ysgrif ar hanes y City Temple.)

Mynd o holl ruthr y ddinas,
    Ei dwndwr a'i mwrllwch a'i thrais,
A chlywed y gân orfoleddus
    A'r gantores bersain ei llais,
'Fy nghalon fythol-ffyddlon
    Bydd lawen a rho fawl.'

A mynych ddymunais wedyn,
    Er mai ofer, yn wir, y cais,
Glywed y gantores bersain
    A holl glychau llawen ei llais!
'Fy nghalon fythol-ffyddlon
    Bydd lawen a rho fawl.'

CREDINWYR AC ANGHREDINWYR

(Dietrich Bonhoeffer, 'Christians and Unbelievers', Letters and Papers from Prison, 174.)

Fe dry dynion at Dduw pan fônt mewn cyfyngder blin;
Gweddïant arno am gymorth, am fara, a'i hedd Ef Ei Hun;
Ceisiant Ei drugaredd, oherwydd pechod a gwendid a'r bedd:
Felly y gwna pawb, gredinwyr ac anghredinwyr.

Fe â dynion at Dduw pan yw Ef mewn cyfyngder blin,
A'i gael heb fwyd na chysgod, yn esgymun wrtho'i Hun,
Yn dioddef o dan faich y drwg a'r marw a'r gwan:
Saif dynion gyda Duw yn nydd Ei adfyd.

Daw Duw at bob dyn sydd mewn cyfyngder blin,
Yn porthi corff ac ysbryd a'i fara Ef Ei Hun;
Dros gredinwyr ac anghredinwyr mae'n hongian yn farw,
Ac yn maddau i'r ddau yr un modd.

YR HEDDYCHWR A'R MILWR

(George M. Ll. Davies, ar ymweliad â Chaerllion-ar-Wysg, yn darllen neges goffa hiraethus un o filwyr yr Ail Leng Rufeinig am ei wraig, ac yn dweud: 'Chwarae teg iddo — yr un yw'r galon ddynol ymhob man'.)

Dywysog o dangnefeddwr,
  Ffeindiaf, ffyddlonaf dyst,
Wrthodaist erioed â gwisgo
  Ond lifrai tynerwch Crist;
Darllenaist yr artaith oesol
  Sy'n hŷn na Lladin yr Ail Leng,
Clywaist guriadau calon
  Y dyn dan yr arfwisg ddreng.

CAROLAU NADOLIG

Ni allwn sôn am y preseb gwael,
A minnau'n fardd i'r 'uchel-ael'.

Ond fe sylwaist, mi waranta,
Imi gael hwyl fawr ar Santa.

Buasai'n ddim llai na galanas
Anwybyddu Ffaddar Crismas.

Nid anghofiais — buasai'n greim —
Y pwdin mawr a'r pantomeim.

A dwedais air bach yn fy nhro
Am gracers ac am fistlto.

Os soniais wrth basio am Iesu Grist,
Maddau i mi — 'rwy'n hepian yn drist.

*(Adolygiad ar gasgliad o garolau a gyhoeddwyd mewn
cylchgrawn.)*

TANGNEFEDD

(Henry Vaughan, 'My soul there is a country . . .'.)

Tu hwnt i'r sêr a'u pellter
    O f'enaid y mae gwlad,
Lle saif y gwylwyr nefol
    Hyfedr ym mhob cad.

Goruwch pob sŵn a gofid,
    Mae hedd dan goron wen,
A'r Gŵr a fu mewn preseb
    Sy'n llywio rhengoedd nen.

O gariad pur disgynnodd
    Yn Gyfaill i'n byd ni,
A chofia, f'enaid difraw,
    Bu farw drosot ti.

Cei weled, o fynd yno,
    Hyfryd flodeuyn Hedd,
Y Rhosyn na all wywo,
    Dy gaer, dy dawel sedd.

O gad dy ffôl grwydriadau,
    Nid oes a'th gadarnha,
Ond Duw dy fywyd difeth,
    Iachawdwr mawr dy bla.

CYMUNDEB YN DACHAU

(Seiliedig ar Martin Niemöller, Dachau Sermons, *53-54.)*

Yn gwmni bychan, wele ni,
  Pob un heb gartref mwyn,
Ymhell oddi wrth anwyliaid hoff
  A'n rhyddid wedi'i ddwyn.

Pob un heb obaith sicrwydd clyd
  Yn ein hunigrwydd mawr,
Heb wybod beth a ddaw mewn dydd
  Neu'n wir o fewn yr awr.

Ac eto, er ein hadfyd blin,
  Mae pawb mewn cartref mad
Yn bwyta bara ac yfed gwin
  Wrth fwrdd di-brin ein Tad.

I bawb sy'n unig fel nyni
  Ac enbyd iawn eu byd,
Mae Croes Golgotha'n cynnig hedd,
  Mae'n gartref i ni i gyd.

YR HOLL-BRESENNOL

(Cyfieithiad o gerdd J. M. Plunkett, 'I see His Blood upon the Rose'.)

Ei ddagrau Ef a ddaw o gwmwl nen,
　Ei waed a welaf yng nghwpanau'r rhos,
Ei gorff sy'n ddisglair ar yr eira glân,
　Ei lygaid sy'n goleuo sêr y nos.

Ei wedd a welaf yn y blodau brau,
　Ei lais sy'n glir yn nwndwr taran gref
A chân aderyn; ar y creigiau ban
　Y mae llythrennau Ei lawysgrif Ef.

Mae ôl Ei draed dros lwybrau'r byd i gyd,
　Ei galon lân sy'n gyrru'r môr di-daw,
Ei goron ddrain a blethwyd â phob pren,
　Ac ar bob coeden y mae'r ddrylliog law.

NERTH FY MYWYD

(Cyfieithiad o gerdd R. D. Blackmore, 'In the hour of death, after this life's whim . . .'.)

Pan ddelo olaf awr ein heinioes frau,
Awr y galon lesg, awr y llygaid cau,
A phoen yn gwanychu pob aelod byw,
Bydd plentyn yn pwyso'n drwm ar Dduw.

Pan grwydro'r ewyllys o'i gamrau clir,
A'r meddwl yn llacio o flinder hir,
A dyn yn ansicr o'i enw da,
Holl rymuster y Duwdod a'i cryfha.

Â'r elor i'w gyrchu i'r ddaear lom
Wedi'r deigryn dwys a'r ochenaid drom;
Wedi i'r câr agosaf adael y llan,
Daw angel yr Arglwydd heibio i'r fan.

Fe gyll pob rhyw bleser ei flas a'i sawr,
Bydd nerth yn ddim a balchder ar lawr;
Bydd cariad cyfeillion yn drysor coll,
Ond gogoniant ein Duw fydd oll yn oll.

Rhan 2

EMYNAU

EMYN HEDDWCH

('Efe yw ein tangnefedd ni.')

Pan ymderfysgo pobloedd byd
A chefnu ar y Crist ynghyd,
Cofiwn, uwch pob daearol gri,
Mai Ef yw ein tangnefedd ni.

Wrth groes yr Iesu tyr y wawr,
Gobaith holl gyrrau'r ddaear fawr;
Arglwydd cariadlon Calfari,
Efe yw ein tangnefedd ni.

Fe wnaeth y bobloedd oll yn un
Trwy roi Ei einioes Ef Ei Hun;
Bugail y defaid coll di-ri',
Efe yw ein tangnefedd ni.

Boed Eglwys Crist o oes i oes
Yn dyfal rodio ffordd y groes.
Er colli mawl a moeth a bri,
Efe yw ein tangnefedd ni.

Pob dyfais fentrus ddaw i'n rhan,
Boed er llesâd y tlawd a'r gwan;
Diddymwn rym y pethau sy',
Efe yw ein tangnefedd ni.

Deued y byd anufudd, ffôl,
I ffyrdd doethineb Duw yn ôl.
Boed afon hedd yn llawn ei lli,
Efe yw ein tangnefedd ni.

EMYN CYMDEITHASOL

O Grëwr y cyfanfyd maith,
A thegwch ym mhob cwr o'th waith,
Dysg ni i lunio ein bywyd ni
Dan lewyrch Dy ewyllys Di.

Fe ddysgaist in Dy fod yn Dad
Yn Dy ragluniaeth hael a rhad;
O arwain ni i fentro byw
Yn llawn haelioni fel ein Duw.

Proffwydi gynt â'u tafod tân
Lefarodd am Dy ddeddfau glân.
O nertha ni i godi ein llef
Yn erbyn pawb sy'n herio'r nef.

Yn Iesu Grist a'i fywyd cun
Rhoddaist Dy ddelw Di Dy Hun;
Yn hunan-aberth pur Ei groes
Mae nerth y nef at raid pob oes.

I'r diymadferth ac i'r tlawd
Rho ynom ninnau gariad brawd;
I'r gorthrymedig ac i'r gwan
Yng ngrym y Crist rhown fraich i'r lan.

O deued Dy lywodraeth gref
Drwy'r ddaear mwyach fel y nef;
Mewn byd sy'n llawn o bechod trist,
Gwna ni'n wir weision Iesu Grist.

EMYN CENEDLAETHOL

O Dduw yr holl genhedloedd
  Sy'n trigo yn y byd,
A greaist yr holl bobloedd
  O'r un gwaed oll i gyd,
Fe roddaist i bob aelod
  O'th deulu aml, maith,
Arwyddion fyrdd o'th wyddfod,
  Atseiniau clir o'th iaith.

I Gymru buost rasol
  Ar hyd ei throeog oes;
Cysgodaist ei gorffennol
  Dan ffrwythlon bren y groes;
Anfonaist Dy genhadon
  Yn gyson, nos a dydd;
Trwy rym eu taer acenion
  Daeth miloedd caeth yn rhydd.

O boed ein henwlad dirion
  Dan nawdd Dy Ysbryd Di;
Ei chrefydd fyddo'i choron
  A'i baner Calfari.
Gwna ni yn ufudd deulu
  Dan gyfraith Crist yn byw;
O'n malltod a'n trueni
  Dwg ni at orsedd Duw.

EMYN CENHADOL

O Iesu Grist, Waredwr glân
Tylwythau'r byd yn ddiwahân,
Wrth deulu'r ddaear trugarha
 chariad dwfn y Bugail Da.

Nid mewn pellennig gongl draw
Y clwyfwyd Dy sancteiddiaf law;
Canolfan gref ein daear ni
Yw bryn bendigaid Calfari.

Nid ond am deirawr ar y groes
Y dioddefwyd dwyfol loes;
Gwelwyd yng ngrym Dy gariad mad
Drueni oesol Duw ein Tad.

O'r groes fe gesglaist Di ynghyd
Blant Duw ar wasgar dros y byd;
Un ydym oll, pob llwyth a lliw,
Drwy'r goron ddrain a'r ystlys friw.

Dros gyfandiroedd eang, maith
Mewn llawer modd a llawer iaith
Boed mawl diderfyn iddo Ef
Sydd yn cyfannu teulu'r nef.

EMYN PRIODAS

*(Sgrifennwyd ar gais y Prifathro Eirwyn Morgan ar gyfer
ei briodas.)*

O Dduw y cariad tyner
  A fu yn llunio'r byd,
Y cariad sydd yn cynnal
  Y cread oll ynghyd,
O gwena arnom ninnau,
  Lywiawdwr dynol ryw,
Boed dydd ein mwyn lawenydd
  Yn ddydd a wnaeth ein Duw.

Grist Iesu, ein cydymaith
  Ym mhob rhyw awr o'n hoes,
Dwyfola ein gorfoledd
  Â chariad pur Dy groes.
Tyred yn awr yr uno,
  Rho inni weld Dy wedd;
Dy bresenoldeb grasol
  Fydd gwin melysa'r wledd.

EMYN CYMUNDEB

'Er coffa' wele ni
  Yn ffyddlon gyd-grynhoi
I gofio'r Gŵr a gaiff y clod
  Tra byddo'r rhod yn troi.

Ni gofiwn am y bwrdd,
  Ni gofiwn am y brad,
Ac am y weddi yn yr ardd
  Offrymwyd at y Tad.

Rho inni fanna pur
  O'r bara ger ein bron;
Goruwch ystafell eto gwna
  O'r fan sancteiddiol hon.

Rho inni lawenhau
  Â'r cwpan yn ein llaw,
Y gwaed a roes i fod yn win
  Fydd syndod byd a ddaw.

Yn sŵn yr emyn dwys
  Aeth Ef dros Gedron drist;
O nertha ni bob dydd sy'n dod
  I ddilyn Iesu Grist.

EMYN AR GYFER MYFYRWYR

O Roddwr pob gwybodaeth
  I feddwl eiddgar dyn,
Dwg ni yn agos atat,
  Y Dwyfol Ffrind a lŷn.

Wrth inni ledu'n deall
  Ym mhob rhyw feysydd coeth,
Rho inni'r unig addysg
  A'n gwna yn fythol-ddoeth.

Wrth ennill gwell disgyblaeth
  Ar feddwl ac ar law,
Gad inni ymberffeithio
  Ym mhethau'r byd a ddaw.

Wrth ddarllen am drysorau
  Y stori ddynol faith,
Rho'r anian a all ddirnad
  Sibrydion dwyfol iaith.

Wrth weled troeon hanes
  Ac arwyr brau pob oes,
O dangos y gogoniant
  Difachlud yn y groes.

O Arglwydd pob gwirionedd
  A phob gwelediad clir,
Rho nerth, mewn byd o ddichell,
  I sefyll dros y gwir.

CRIST Y MEDDYG

O Grist, Ffisigwr mawr y byd,
Down atat â'n doluriau i gyd,
Nid oes na haint na chlwy na chur
Na chilia dan Dy ddwylo pur.

Down yn hyderus atat Ti,
Ti wyddost am ein gwendid ni;
Gwellhad a geir ar glwyfau oes
Dan law y Gŵr fu ar y Groes.

Anadla arnom ni o'r nef
Falm Dy drugaredd dawel, gref;
Pob calon ysig, boed yn dyst
Fod hedd yn enw Iesu Grist.

Aeth y trallodus ar eu hynt ,
Yn gwbwl iach o'th wyddfod gynt;
Ffisigwr mawr, O ! rho Dy Hun
I'n gwneuthur ninnau'n iach, bob un.

THE GREAT PHYSICIAN

(Cyfieithiad o'r emyn ar y dudalen gyferbyn.)

O Great Physician, strong to bless,
We come to Thee in our distress;
There is no ill, the ages tell,
Which Thy pure hands cannot dispel.

We come with confidence to Thee,
Thou knowest our infirmity;
Healing for every wound and loss
Flows from the Man upon the cross.

Breathe on our souls from heaven above
The balm of Thy forgiving love;
May every weary spirit claim
The peace that lies in Jesus' name.

The afflicted left Thy side of old
Restored and confident and bold;
O Great Physician, hear our call,
And in Thy mercy heal us all.

MARCHOG, IESU

(Gweler Marc X, 32; a Luc XIII, 33-34.)

Marchog, Iesu, yn llwyddiannus
    I Gaersalem dref,
Dos i ddinas deg yr Arglwydd
    Yn Ei enw Ef.

Dos i herio caer anwiredd
    Yn dy symledd pur,
Dos â'r hiraeth gwaredigol
    Yn ddirdynnol gur.

Dos â saethau llym y nefoedd,
    Geiriau deufin Duw,
Ti, yr unig un a ddaliodd
    Weld Ei wedd a byw.

Dos at glymblaid yr offeiriaid
    Â'u hystrywiau mân,
Ail-gysegra dŷ yr Arglwydd
    Gyda'th ysol dân.

Ymysg rhysedd yr aberthau
    A thorfeydd y Pasg,
Ymdaith mewn mawrhydi tawel
    At yr olaf dasg.

Marchog, Iesu, yn llwyddiannus
    I Gaersalem dref,
Yn Dy freichiau croeshoeliedig
    Casgla'i bobl Ef.

Y CARIAD ANORCHFYGOL

(Seiliedig ar Rhufeiniaid VIII, 35-39.)

Pwy a'n gwahana, Arglwydd da,
　　Oddi wrth Dy ryfedd gariad?
Ni all holl rwystrau creulon fyd
　　Na grym eu hymosodiad.

Ni all gorthrymder dreng nac ing,
　　Na newyn nac enbydrwydd,
Nac ymlid, na'r un cleddyf llym
　　Ddod rhyngom ni â'n Harglwydd.

Yn holl dreialon dyrys daith
　　A'i chyfyngderau anodd
Yr ydym yn goncwerwyr llwyr
　　Drwy ras yr Hwn a'n carodd.

'Does dim yn yr uchelder fry
　　Na'r dyfnder obry yntau
All beri inni ymbellhau
　　Mewn bywyd nac mewn angau.

'Does dim drwy'r cread maith yn drech
　　Na'th bwrpas Di yn Iesu;
Dros bethau sydd a phethau fydd
　　Dy gariad sy'n teyrnasu.

Y DDAWN FAWR

(Seiliedig ar I Corinthiaid XIII.)

Pe meddwn ddoniau engyl nef
   A holl huodledd dynion,
Aflafar sain fai'r cwbwl oll
   Heb gariad yn fy nghalon.

Pe rhoddwn holl feddiannau'r llawr
   A rhoi fy nghorff i'w losgi,
Heb gariad yn gymhelliad im
   Ni fyddai'n ddim ond gwegi.

Y cariad sydd yn cydymddwyn,
   Sy'n fwyn tuag at gymydog,
Yw'r unig ddawn a ddeil o hyd
   Yn drysor drud, ardderchog.

Nid grym ymwthgar, brau y byd,
   Ond dirfawr rym amynedd
A bair ein bod yn caru'n brawd
   Yn ddyfal hyd y diwedd.

Pob gallu arall fyth a gawn
   A dry'n ddi-werth ryw ddiwrnod,
Ond cariad bery'n berffaith ddawn,
   Rhagoraf ddawn ddiddarfod.

Ffydd, gobaith, cariad, yn ddiau,
   Yw doniau pennaf dynion;
Ond yn eu plith, yn ddi-nacâd,
   Gan gariad y mae'r goron.

Y DRIGFAN DRAGWYDDOL

(Seiliedig ar II Corinthiaid V, 1-9.)

Daw diwedd i'n daearol dŷ,
  Fe dry yn babell egwan,
Ond cartref gawn gan Dduw Ei Hun,
  Fe gawn dragwyddol drigfan.

Mor fynych y mae'r fuchedd hon
  Yn riddfan ac ochenaid;
Ond yn y bywyd ddaw i'n rhan
  Ni welir blinder enaid.

Cawn ein harwisgo, o ras Duw,
  Â mantell wiw i'n hysbryd;
Helaethach, llonnach fydd ein byd
  O fewn Ei deyrnas hyfryd.

Ai yma, ymhell o dŷ ein Tad,
  Neu ger Ei fron yn union,
Bod yn dderbyniol ganddo Ef
  Yw unig nod ein calon.

YR ARCHOFFEIRIAD MAWR

(Yn seiliedig ar amryw gyfeiriadau yn yr Epistol at yr Hebreaid.)

Mae gennym Archoffeiriad mawr,
   Ein pen-tywysog tirion;
Yn oriau ein cyfyngder blin
   Fe rydd in gymorth bodlon.

Nid ar y ddaear mwyach mae
   Ei allor fawr, anniflan,
Ond goruwch holl derfysgoedd byd
   Yn nef y nef ei hunan.

Pan aeth i'r byd tu hwnt i'r llen,
   I'r deml nefol, burlan,
Fe aeth â'r offrwm mwya'i werth —
   Ei aberth Ef Ei Hunan.

Ond nid yw'n angof ganddo fry
   Hen deulu'r pererinion;
Argraffwyd enwau llwythau'r llawr
   Yn eglur ar Ei galon.

Fe gofia eto'i ddyddiau gynt,
   Ei weddi ddwys a'i ddagrau;
Fe'i temtiwyd yntau ym mhob peth,
   'Run ffunud megis ninnau.

Erioed nid ildiodd i'r un drwg;
   Aeth ar Ei hynt fuddugol;
Awn ato felly'n ddiymdroi,
   Cawn gymorth cyfamserol.

Nid oes dirionach neb i'w gael,
   Di-ffael Ei gydymdeimlad;
Fe guddia ein camweddau lu
   Yn nyfnder cu Ei gariad.

EMYNAU A GYFIEITHWYD

(J. S. B. Monsell: 'I hunger and I thirst . . .'.)

Newyn a syched sydd
  Ar f'enaid tlawd a gwyw;
Iesu, fy manna bydd,
  A rho im ddyfroedd byw.

Ti'r bara dorrwyd gynt,
  O portha fi bob dydd,
Cans marw fydd fy hynt
  Heb Dy gynhaliaeth rydd.

Gwinwydden wir wyt Ti,
  Rho brofi'th felys win,
Ac adnewydda fi
  Â'th gariad pur ei rin.

Ar lwybrau geirwon, blin
  Y bu fy nghamrau hy;
Dod gymorth, Fab y Dyn,
  Rho'r bara oddi fry.

Mae eto anial maith
  O flaen fy enaid gwyw;
Rho brofi drwy'r holl daith
  Fendithion dyfroedd byw.

EMYN BOREOL

(Charles Wesley: 'Christ, whose glory fills the skies . . .'.)

Grist, gogoniant nefoedd wiw,
    Grist, goleuni mawr y byd,
Cyfod, haul cyfiawnder Duw,
    Chwâl gysgodion nos i gyd.
Godiad haul, ddaeth oddi fry,
Seren fore, cofia ni.

Tywyll a digysur iawn
    Ydyw'r bore hebot Ti,
Ac aflawen ddiwrnod llawn
    Heb dywyniad gras ein Rhi.
Dim ond D'olau Di, O Grist,
Lawenha fy nghalon drist.

Tyred 'nawr i'm henaid i,
    Gwasgar d'wyllwch prudd a'i gŵyn,
Lladd fy anghrediniaeth hy',
    Llanw fi, ddisgleirdeb mwyn.
Rho Dy ras fwy-fwy i'm ffydd,
Hyd nes daw y perffaith ddydd.

EMYN YR ATGYFODIAD

*(J. M. Neale: 'The Day of Resurrection . . .'; yntau'n drosiad
o Roeg Sant Ioan o Damascus 'Anastasews Hêmera'.)*

O Ddydd yr Atgyfodiad!
  Cyhoedded daear wiw;
Y Pasg o fawr orfoledd,
  Y Pasg o drefniant Duw;
O'r bedd i fywyd bythol,
  O'r ddaear hyd y nef,
Aeth Crist â ninnau drosodd
  Mewn goruchafiaeth gref.

Pob calon fyddo'n burlan,
  Nes gweled eto'n syn
Yr Arglwydd yn nisgleirdeb
  Ei atgyfodiad gwyn;
Pob clust fo'n dyfal wrando
  Ar ei acenion pêr;
Ei 'Henffych well' buddugol
  Fo'n atsain hyd y sêr.

Boed moliant drwy'r ffurfafen,
  Boed daear yn llawn cân,
Sŵn concwest drwy'r cyfanfyd
  A phopeth ynddo'n lân;
Yr anwel a'r gweledig
  Mewn cytgord dwfn, di-glwy;
Cyfododd Crist yr Arglwydd,
  Llawenydd bythol mwy!

EMYN COFFA

(Cyfieithiad rhydd o emyn W. Charter Piggott: 'For those we love within the veil.')

'Ei weision Ef a'i gwasanaethant Ef, a hwy a gânt weled ei wyneb Ef; a'i enw Ef fydd ar eu talcennau hwynt.'
— *Datguddiad XXII, 3-4.*

Rhown fawl, O Dad, am geraint hoff
   Yn byw tu hwnt i'r llen y sydd;
Aethant o'n plith i weled gwawr
   Digwmwl ddydd.

Bywyd yn wir yw'r eiddynt hwy,
   Goruchel nod ein gyrfa ni;
Gwelant heb ddim cysgodau prudd
   Dy wyneb Di.

Nid mwyach fel y buont gynt,
   Mewn lludded gan flinderau'r llawr,
Ond llawen, cadarn, arnynt mae
   Dy enw mawr.

Deallant Dy ewyllys glân,
   Yn rhydd o boen eu meidrol rawd,
Â dyfnach hoen cânt weini ar
   Eu hannwyl frawd.

Llawnach, helaethach yw eu byd,
   Melysach yw yr awel mwy;
Ni welodd, ni ddychmygodd neb
   Eu hedd di-glwy.

Ni wyddom ni ba newydd waith
  Gyflawnant yn eu nefol stad,
Na'r modd y dônt i'n bywyd ni
  O'r freiniol wlad.

Yng nghartref Duw cânt fythol fod,
  Nid oes ohonynt neb yn drist;
Mae gorffwys, mawl, a gwaith, yn un
  Yng ngwyddfod Crist.

Y PATRWM

(John Hunter: 'Dear Master, in whose life I see . . .'.)

Feistr, wrth weld Dy fywyd Di,
Gwelaf ddiffygion 'mywyd i.
Llewyrched fyth Dy olau clir
Yn her i'm harwain at y gwir.

Mae deunydd fy mreuddwydion glân
A'm bywyd egwan ar wahân.
Rho gymorth imi, Gadarn Un,
A'th fyw a'th freuddwyd yn gytûn.

81

EMYN BEDYDD

*(J. E. Bode: 'O Jesus, I have promised . . .', gan hepgor
un pennill.)*

O Iesu, mi addewais
    Dy ddilyn drwy fy oes;
Bydd Di yn fythol-agos,
    Waredwr mawr y groes.
Nid ofnaf swn y frwydr
    Os byddi Di gerllaw;
Os byddi Di'n arweinydd,
    Ni chrwydraf yma a thraw.

Rho brofi Dy gymdeithas;
    Mor agos ydyw'r byd
A'i demtasiynau cyfrwys
    Yn ceisio denu'm bryd!
Gelynion sydd yn agos,
    O'm cylch a than fy mron;
O Geidwad, paid â'm gadael
    Ym merw'r frwydr hon.

Rho glywed swn Dy eiriau,
    Acenion clir Dy lais,
Uwchlaw holl storm fy nwydau
    A murmur hunan-gais.
Llefara Di i'm harwain,
    O Geidwad f'enaid drud,
A gwna fi'n ufudd beunydd
    I'r Un a'm carodd cyd.

O Iesu, fe addewaist
    I bawb a'th ddilyn Di,
Y cânt fod yn Dy gwmni
    Yn y gogoniant fry;
A minnau a addewais
    Dy ddilyn drwy fy oes;
Rho ras im lynu'n ffyddlon,
    Waredwr mawr y groes.

(Gellir canu'r emyn hwn hefyd fel emyn cyffredinol.)

ERFYNIAD

(H. W. Baker: 'Jesus, grant me this, I pray . . .', sydd yntau'n drosiad o emyn Lladin o'r ail ganrif ar bymtheg, 'Dignare me, O Jesu, rogo te . . .'.)

Iesu, caniatâ i mi
Aros mwy'n Dy galon Di.
Dyro imi bellach fyw
Yn nhangnefedd D'ystlys friw.

Pan fo'r diafol erch a'r byd
Yn fy nhemtio i ynghyd,
Diogel wyf wrth imi fyw
Ynot Ti a'th ystlys friw.

Pan fo'r cnawd, y gelyn mawr,
Am fy nghael i syrthio i lawr,
'Dofnaf ddim, os caf fi fyw
Ynot Ti a'th ystlys friw.

Angau ddaw ryw ddydd i mi,
Iesu, paid â'm gwrthod i;
Er im farw, gad im fyw
Ynot Ti a'th ystlys friw.

83

EMYN SUL Y BLODAU

(J. Mason Neale: 'All glory, laud, and honour', yntau'n drosiad o emyn gan Theodulph O Orleans, o'r nawfed ganrif.)

Gogoniant, mawl, anrhydedd,
  I Ti, ein dwyfol Iôr.
Bu lleisiau plant yn canu
  I Ti yn beraidd gôr.

Ti ydyw Brenin Israel,
  Mab Dafydd ydwyt Ti;
Yn enw'r Arglwydd daethost
  Yn Frenin drosom ni.

Mae cwmni yr angylion
  Yn moli D'enw glân;
O'r ddaear y mae dynion
  Yn uno yn y gân.

Aeth pobl yr Hebreaid
  Â phalmwydd ger Dy fron;
Ein moliant a'n gweddïau
  Offrymwn ninnau'n llon.

I Ti, cyn Dy ddioddefaint,
  Canasant odlau byw;
Cyflwynwn ninnau'n calon
  Yn rhodd wrth orsedd Duw.

Derbyniaist eu molawdau,
  O derbyn eto'n awr,
Ein Brenin grasol, tirion,
  Anthemau plant y llawr.

GALWAD IESU

(Mrs. C. F. Alexander: 'Jesus calls us, o'er the tumult . . .'.)

Geilw Iesu, uwchlaw terfysg
    Holl gynhyrfus fôr ein hoes;
Clywir sŵn Ei eiriau beunydd :
    'Dilyn fi, a chod dy groes.'

Felly clywodd y disgyblion
    Gynt yng Ngalilea bell :
Gadael gwaith a thŷ a theulu
    Er Ei fwyn, y Cyfaill gwell.

Geilw Iesu ni rhag plygu
    Gerbron allor Mamon ffôl;
Rhag pob eilun sy'n ein denu,
    Rhaid yw mynd at Iesu'n ôl.

Mewn llawenydd ac mewn trallod,
    Yn ein gwaith a'n hawddfyd rhydd,
Geilw Ef, mewn hoen a blinder,
    Rhaid Ei ddilyn Ef bob dydd.

Geilw Iesu — o'th drugaredd,
    O Waredwr, gwrando ni.
Gwna ni'n ufudd mwy i'th alwad,
    O flaen dim, Dy garu Di.

Y DIDDANYDD

*(Harriet Auber: 'Our blest Redeemer, ere He breathed,
His tender, last farewell . . .'.)*

Yr Arglwydd Iesu, gynt wrth roi
    Ei ffarwel olaf, gun,
Addawodd y Diddanydd mwyn
    I'w braidd Ei Hun.

Fe ddaeth yr anorchfygol rym,
    Daeth y tafodau tân;
Yn anwel, fel y gwynt, y daeth
    Yr Ysbryd Glân.

Fe ddaeth i wasgar dros y byd
    Holl beraroglau'r nef;
Fe'i rhydd yn rhad i'r galon fad
    A'i derbyn Ef.

Ei eiddo Ef y tyner lais
    Mor fwyn â'r hwyr-ddydd pêr
Sy'n lluddias bai a lleddfu ofn
    Yn nerth ein Nêr.

Ei eiddo Ef pob rhinwedd teg,
    Pob concwest ddaeth i'n llaw,
Pob awydd am sancteiddrwydd bryd
    O'r nef y daw.

Ysbryd pob purdeb a phob gras,
    Bydd dirion wrthym ni,
A gwna'n calonnau'n breswylfeydd
    Dros fyth i Ti.

O BERERINION LLAWEN

(J. M. Neale: 'O Happy Band of Pilgrims'; yntau'n drosiad o'r Roeg.)

O bererinion llawen
   Yn teithio tua'r nen,
Â Iesu Grist yn gyfaill
   At Iesu Grist eich Pen.

Mor llawen os llafuriwch
   Fel Iesu Grist dros ddyn,
Mor llawen os newynwch
   Fel y Bendigaid Un.

Y groes a gariodd Iesu,
   Fe'i cariodd drosoch chwi,
Ac er eich mwyn mae'r goron
   A wisga'r Iesu fry.

Y ffydd sydd yn Ei weled,
   Y gobaith dewr, di-flin,
Y cariad drwy drafferthion
   A dry at Grist Ei Hun,

Beth ydynt ond tywyswyr
   At Wrthrych mawr eich mawl?
Beth ydynt ond dylifiad
   O'r digreëdig wawl?

Eich holl dreialon dyrys,
   Eich gorthrymderau maith,
Y mynych demtasiynau
   A ddaw hyd ben y daith,

Beth ydynt ond trysorau
    Ei deyrnas freiniol Ef?
Beth ydynt ond yr ysgol
    O'r ddaear hyd y nef?

O bererinion llawen,
    Edrychwch tua'r nen;
Eich ysgafn brofedigaeth
    Fydd yno'n goron wen.

Rhan 3

PYTIAU BYRION YSGAFN

Y CLWB SEBONI

(Sef clwb o feirdd ieuainc â'r arwyddair, 'Oni sebona neb arall
ni, fe sebonwn ni ein gilydd.')

Ar ôl fy nghyfaill, hwn-a-hwn,
   Yn wir, mi fydd yn chwithig;
Efo yw'r mwyaf o feirdd y byd
   Er y cyfnod neolithig!

Blodeua awen hwn-a-hwn
   Fel deilen deg o riwbob;
Bob tro y mae'n sgrifennu gair
   Mae'n foment fawr i Ewrob!

PECHOD GWREIDDIOL

Mae cwestiwn yn blino fy meddwl
   (Wn i ddim a yw'n gwestiwn dwfn-dreiddiol),
Wedi oesoedd o bechu diatal
   A oes modd mwyach pechu yn wreiddiol?

Y GWLADWEINYDD

'Gwaed a lludded, chwys a dagrau'
   Dyna'r addewid a wnaeth,
Ond am dro yn groes i'w arfer
   Glŷn wrth ei eiriau yn gaeth.

91

EMYN YR ATHRONYDD-BREGETHWR

*(Sef emyn a roddes y Parch. Heracleitos Hopkins allan i ganu
ar ôl bod yn darllen* 'Efrydiau Athronyddol'.)

O Arglwydd, dyro dechneg,
  A honno'n dechneg gref,
A wna fy epistemeg
  Fel epistemeg nef;
Fy ffydd gwna'n ddialectig
  Fel dialecteg Iôr,
A'm rhodiad yn ddeinamig
  Fel deinamigrwydd môr.

Rho olwg deleolegol
  Ar ffenomenâu y byd,
A chip metaffusegol
  Ar D'atribiwtiau drud;
Er mwyn Dy fawr uwchfodaeth,
  A'th ontologiaeth gun,
Rho imi wir realaeth,
  O realistig Un!

PARODÏAU

GWELED

(Yn null T. H. Parry-Williams)

Mi welais frodorion gwyllt eu llw
Yng nghanol fforestydd Timbyc-tw;

A dynion Ynysoedd Cari-bi
Yn ysmygu pib fel fy mhib i;

Hen frodyr hirwallt Pernambwco
Yn llenwi eu bol ag wyau clwc, O!

Mi welais rai yn crasu bara
Yn eangderau Ffontamara.

Yn fflatiau a strydoedd brwnt Brisbên
Mi gwrddais â llawer scali-wag mên.

Ond wedi dod 'nôl i dre Porth-cawl
Mi welais arswydus wep y Diawl!

HANFOD

(Yr un dull)

Beth ydwyt ti a minnau, Dai,
Ond nerfau tost mewn tipyn clai?

Beth yw ymennydd, er ein ffws,
Ond ychydig bach o ffosfforws?

LIMRIGAU DIWINYDDOL

'Roedd dyn bach o ardal Trewyddel
Yn alegorïwr annymchwel.
  'Peidiwch poeni, da chi,
  Am y Diafol a'i fri,
Mi alegoreiddiais y cythrel!'

'Roedd dyn bach o ddyffryn y Gwendraeth
Yn ymdrechu â her diwethafiaeth.
  'Yn wir, mae'n beth od,
  Onibai C. H. Dodd
Mi fuaswn mewn pwll o anobaith!'

Mynnai brawd bach o fro Abercannaid
Nad oedd nefoedd i neb ond y Barthiaid.
  Os mai darllen Karl Barth,
  Hynny'n unig yw'r gât,
Fe gaiff y lle arall ei goflaid!

'Roedd dyn bach yn byw yng Nghwm Ogwr
Yn fawr ei awdurdod ar Niebuhr.
  Aeth â'i long fach yn ffri
  I ddyfnderoedd y lli,
Ond tybed a ddaeth at yr harbwr?

'Roedd dyn bach yn byw ym Mhonterwyd
Yn gredwr mewn diafol dychrynllyd.
  Âi i Bont y Gŵr Drwg
  Bob dydd yn llawn gwg
I gyfarch ei feistr taranllyd.

DOD YMLAEN YN Y BYD

(Ymson gan Seimon Selotes wrth weld hysbysiad yn y 'Times'
yn sôn am wasanaethau yn Eglwys 'St. Simon Zelotes, Chelsea'.)

Fel yr aeth y canrifoedd ymlaen ar eu hynt
Daeth newid go fawr er y dyddiau gynt.
Gweld llên y *top people* yn fy enwi yn ffri,
Ac eglwys yn Chelsea wedi ei chysegru i mi!
Cael mawl a gogonedd mewn lleoedd o fri:
Y mae'r saint wedi achub 'hen rebel fel fi'!

MERCHED MASADA

(Yn ei lyfr 'Masada' (t. 149) rhydd Yigael Yadin ddarluniau o
offer cosmetig a ddarganfuwyd yng ngwersyll y Selotiaid ym
Masada megis: 'a cosmetic palette, two bronze eye-shadow sticks,
clay perfume phials, a bronze mirror case and a wooden comb.')

Yng nghanol argyfwng eu dyddiau
A phryder am ryfel a'r cledd,
Nid anghofiodd y merched am foment
Am brydferthwch eu pryd a'u gwedd!

MAE EMYNAU AC EMYNAU

(Y Parch. J. Emlyn Nicholas, pan oedd yn weinidog ar eglwys
Saesneg, yn blino ar geisiadau am emynau Sankey ac yn dweud,
'I don't like these Sankey hymns — they are too moody.')

Mae llu o emynau rhagorol wrth law,
Sy'n wych o ran miwsig a gair;
Ac eto mae'r saint yn hiraethu o hyd
Am gyffro hyrdi-gyrdi y ffair!

95

Y PARCHEDIG LEWIS VALENTINE

(wedi ymweld ag ef yn Nhachwedd 1984, a'i gael yn darllen
Patrwm y Gwir Gristion *a* Waiting on God, *Simone Weil.)*

Bu'r corff drwy lawer triniaeth
Yng nghwrs y blynyddoedd hir,
Ond mae'r meddwl yn dirf ac effro,
A llygaid yr enaid yn glir.

Y CLAF A'R ARBENIGWR

(Y Parch. Emlyn Nicholas yn ymweld ag arbenigwr beth amser
ar ôl cael llawdriniaeth drom. Rhan o'r ymgom:

Arbenigwr: 'I think we'll let well alone.'
Emlyn: 'What exactly do you mean by *well* in these
circumstances'?)

Wedi bod trwy lawer ymchwiliad
A thriniaethau enbydus iawn,
Ar waethaf ei flinder a'i wendid,
Ni phallodd digrifwch a dawn!

ATGOFION

JOHN HUGHES, TREORCI

Lle bu Handel gynt yn frenin
A Mendelssohn mewn bri,
Daeth ef â Bach i'w deyrnas
A mawr yr elw i ni.

RODERICK LLOYD (Sadlers Wells)

Fe glywsom Faust yn bur fynych,
Gweld Mephistopheles lawer gwaith,
Ond ni fu cythraul erioed mor gythreulig
Na'i gân mor soniarus chwaith!

TUDOR DAVIES

*(Wedi ei glywed tua diwedd ei yrfa yn 'Faust'. Byddai'r tenor
hwn o'r Rhondda yn canu yn aml yn Sadlers Wells.)*

'Roedd y canu yn wir feistrolgar
A'r llais yn felodaidd-lawn,
Ond y pwysau braidd yn helaeth
I garu Marguerite yn iawn!

DR. T. HOPKIN EVANS

*(Yn arwain Cymanfa Ganu Eglwysi Cymraeg Llundain, ac
ymysg yr emynau, 'Mae'r gwaed a redodd ar y groes', ar ei dôn
ef ei hun, 'Tregeiriog', a oedd yn newydd i lawer ohonom.)*

Hen eiriau cyfarwydd sy'n fawr eu hapêl,
Ond eu gosod mewn ffordd sydd yn newydd i'n clyw.
O dan ysbrydoliaeth creawdwr y dôn
Fe drodd yr holl gapel yn drydan byw!

97

ATGOFION AM Y DR. THOMAS CHARLES WILLIAMS

(Yn ôl y Parch. W. T. Lloyd Williams.)

I

(Yr oedd T.C.W. yn hoffi ysmygu rhywfaint ac yn aros unwaith mewn cartref llym iawn yn y mater hwn.)

'Doctor Williams, beth ddywedai'r Gwaredwr
  Wrth eich gweld yn ysmygu mor ewn?'
'A dweud y gwir, 'roedd o yma
  Nes y daethoch chi i mewn!'

II

(Rhywun annisgwyl yn cael ei osod ar Bwyllgor Llyfr Emynau newydd.)

'Er mor abl yw'r dyn yn ddiamau,
  A ddylai fod yn golygu emynau?'
' 'Rhoswch funud, gyfeillion, 'roedd eisiau
  Un dyn i drin y ffigurau!'

MEDDYGON

DR. FERGUS ARMSTRONG, TREORCI

(Meddyg galluog a arhosodd yn y Rhondda, fel ei frawd meddygol, er cael sawl cyfle i adael. Cymerodd yr 'adenoids' allan i mi gartref.)

Gan nad oedd gwely ysbyty wrth law,
    Ac yntau'n feddyg o fedr a rhuddin,
Rhaid felly gyflawni cryn dipyn o gamp —
    'Operation' ar ford y gegin!

DR. J. G. ELIAS, PENARTH

Gall llawer meddyg ein trin a'n trafod
A threiddio bron i'n mewnol hanfod;
Ond nid llawer sy'n gallu adrodd englynion
Cyn chwilio dirgelion y frest a'r galon!

CYFRIFYDD A'I DEYRNGED

(D. Clifford Hopkins. Am gyfnod bu raid imi gymryd at waith Ysgrifennydd Ariannol Coleg y Bedyddwyr, Caerdydd, ond yn bur anhapus. Yn y Cyrddau Blynyddol dywedodd Mr. Hopkins, yr archwilydd, amdanaf: 'Mae'n gwneud ei orau, ond nid yw ei galon yn y gwaith.')

Diolch yn fawr, fy nghyfaill serchog;
Dyma deyrnged wir ardderchog.
Lle mae'n trysor y mae'n calon,
Nid yn y banc yn sicr ddigon.

FFRAETHEBION J.M.

(Y diweddar Barch. J. M. Lewis, Gweinidog Noddfa, Treorci.)

YN ÔL I'R HEN FAES

(Wrth ymweld ag eglwys lle nad arhosodd yn hir iawn.)

Fe gyflawnodd fy nghyd-weinidogion
Ryfeddodau mawrion a gwiw;
Ond myfi yn unig ohonynt
A aeth o'r lle yma'n fyw!

ANOBEITHIOL

(Wrth sôn am bregethu mewn tref arbennig.)

Mae ambell i le anobeithiol.
Pa bai dyn yn llafurio am oes;
Mae cynnig syniadau i'w pennau
Fel niclo marblis i does!

LLAFUR CALED

(J.M.L. wedi bod yn cynorthwyo rhywun i gael gwaith ac yntau'n achwyn bod y gwaith yn anniddorol iawn.)

Wel, ydi mae'n anniddorol tost,
Yn union fel 'rwyt ti'n dweud.
Mae mor hynod anniddorol, yn wir,
Nes bod rhaid dy dalu am ei wneud!

YR ESGOB DI-GYNGOR

(Yr oedd amryw weinidogion ifainc yn Nhreorci a'r cylch ac awgrymais fod J.M.L., fel un hŷn, yn fath o Esgob iddynt.)

'Mae'n siŵr eich bod bron fel Esgob
   Yn rhoi cynghorion buddiol o hyd.'
'Na, 'rwy'n methu gwneud dim i'w cynghori —
   Maen nhw'n gwybod yr atebion i gyd!'

DAIONI A CHRYFDER

(J.M.L. yn sôn am Sul un o'r ffyddloniaid.)

Mae'n cerdded i'r capel y bore
   Ac yna cerdded yn ôl.
I'r Ysgol Sul yn y pnawn
   Ac yna'n cerdded yn ôl.
Y nos i'r oedfa hwyrol
   A cherdded wedyn yn ôl.

Ni honnaf ei fod yn ddyn da
   (Ni fyddwn i mor hyf),
Ond dweud yr wyf yn sicir
   Ei fod yn ddyn bach cryf!

Y DASG YSGAFN

(Dweud wrth J.M.L. efallai y buaswn yn ymweld ag ef cyn bo
hir, rhwng oedfaon ar y Sul, oni fyddwn wedi blino'n ormodol.)

D.R.G.   'Fe alwaf efallai i'ch gweled
            Os na fyddaf dan flinder llym.'

J.M.L.   'Dim ond gyda'r Saeson y byddi,
            Wedi blino'n wir! Chreda i ddim!'

NIWL YN Y GOGLEDD

(J.M.L. wedi bod yn pregethu yn y Gogledd, a'r gynulleidfa yn
ei gael yn anodd i'w ddeall. Meddai ef: 'Erbyn y diwedd 'roedd
hi fel y fagddu yno — 'doedden nhw ddim yn deall y
'Loginisms'!' Un o Login oedd J.M.)

Talpe o iaith Sir Benfro
    A storïau am Login draw,
Ambell bishin o iaith y Rhondda,
    A'r Saesneg droeon wrth law.

Cymysgedd o'r iaith fwyaf lliwgar,
    Tu hwnt i dâp mesur a riwl;
Pa ryfedd, yn wir, bod pobl y North
    Ar goll yn lân yn y niwl!

HEN CHWARAEWYR CRICED

EMRYS DAVIES

Ar y maes criced fe'i gwelais yn aml,
  Yn gelfydd, yn gadarn, yn graig o allu;
Ond fe'i gwelais hefyd ar fore Sul
  Yn addoli'n dawel yn Seion, Llanelli.

J. C. CLAY a FRANK RYAN

Nid oedd y rhain yn rhuthro a chwysu;
  Gallent fowlio drwy'r dydd, bron, yn wiw;
Ond 'roedd clyfrwch slei a chyfrwystra
  Ym mhob modfedd o'u bysedd byw.

DAVID SHEPPARD — CRICEDWR AC ESGOB

Fel batiwr, un medrus, di-ildio,
  Yn cledro'r hen bêl i bob man;
Fel Esgob mae'n dal i ergydio
  Dros y tlawd a'r di-waith a'r gwan.

LLYGAID AGORED

*(Dywedwyd am yr Athro A. J. Gossipp, yr ysgolhaig a'r
pregethwr enwog, ei fod bob amser yn gweddïo'n gyhoeddus
â'i lygaid yn agored, a chredaf fod hyn yn wir yr unig dro i mi
ei glywed.)*

Ni wn pam nad yw'n cau ei lygaid,
  Os nad teimlad bod Duw'n ymbellhau.
Beth bynnag, mae Duw yn agosach at hwn,
  Nag at lawer sy â'u llygaid ynghau!

YR ESGOB GOFALUS

('*The good Bishop who introduced me was careful to disavow all my opinions before I uttered them. He assured the brethren, however, that I would make them think.*' — Reinhold Niebuhr, Leaves from the Notebooks of a Tamed Cynic, 130.)

Nid wyf fi fy hunan yn credu
Un gair a ddywed y gŵr,
Ond gwrandewch yn ofalus er hynny,
Fe wna i chi feddwl, mae'n siŵr!

Y SANTES APOLLINE

(*Sef nawdd-santes y deintyddion. Yn ôl traddodiad, cyn iddi gael ei merthyru, tynnwyd allan ei dannedd i gyd. Ceir cerflun ohoni yn Eglwys Gadeiriol St. Pol de Léon (Kastell Paol) ac offer tynnu dannedd yn ei llaw.*)

Pan awn nesaf i gadair y deintydd
A rhyw deimlo yn ofnus a blin,
Efallai y codwn lef atat:
'O cofia ni'n awr, Apolline!'

FANZIO A MADAME DE GAULLE

(*Fanzio, neu Francois Guivach, un o brif yrwyr y 'Kreisker Coaches' yn St. Pol de Léon, ac un o gymeriadau ei ardal. Dyma rai o'i sylwadau wrth ddod i dref Carantec.*)

Trwy gyfnod y rhyfel medd y llyfrau'n hyderus
Bu Madame de Gaulle yma'n gwneud ei thrigfan.
Ond peidiwch â chredu pob peth yn hygoelus,
Bu hi yma'n wir — am bythefnos gyfan!

FANZIO YN COFIO'R CWLWM

'Cyfarchion at ein cefndyr ym Mhenarth',
Diolch, gyfaill, am neges mor siriol;
Fe gofiaist y 'cwlwm Celtaidd' wrth gwrs,
Ond hefyd y cwlwm cyd-drefol!

(Y mae Penarth a Kastell Paol yn efaill-drefi. 'Roedd mab Fanzio yn un o'r Sioni Winiwns a arferai ymweld â Phenarth.)

CASGLIAD YNG NGHAERLLION

('January 5th, 1806: Collected at Caerleon, £7-3-0 for the dissenters in Germany, who do suffer greatly, their kingdom being pillaged and ransacked by the French, headed by Bonaparte'. — Llyfr Cofnodion Eglwys y Bedyddwyr yng Nghaerllion-ar-Wysg.)

Hen ymneilltuwyr, go gyfyng a chlyd,
Heb fawr gyfleusterau i weled y byd.
Ond tybed a ddylem ni fod mor siŵr
Eu bod mor ddihidio am bawb dros y dŵr?

PROBLEM Y PEISIAU COCHION

(Yn ôl rhai datganiadau yn Ilfracombe, yn yr amgueddfa ac mewn siop anrhegion o'r enw 'The Red Petticoat', yno yn Nyfnaint ar Chwefror 22ain, 1797, y bu i wragedd yr ardal yrru pedair llong Ffrengig ar ffo, drwy osod eu peisiau cochion o gylch eu hysgwyddau a cherdded ar hyd yr arfordir fel milwyr.)

Yma, medd gwŷr Dyfnaint, y bu cyrch y peisiau coch,
Ac nid draw yn Sir Benfro fel y dywed y Cymry'n groch.
Gobeithio na ddywed haneswyr, yn fuan nac yn hwyr,
Y bydd rhaid i Jemima Nicholas golli ei phais yn llwyr!

Y GERDDI DIWINYDDOL

(Yr oedd Coleg Diwinyddol Regent's Park, Llundain, am flynyddoedd yn y Parc ei hun, cyn symud i Hampstead, ac yn weddol agos at y Zoo. Dywedir bod gwraig wedi gofyn i'r Prifathro Wheeler Robinson rywdro: 'Are these the Zoological Gardens?' a'i fod yntau wedi ateb: 'No, madam, these are the Theological Gardens.')

'Ai y rhain yw'r Gerddi Swolegol?'
  Holai'r wraig mewn penbleth go lew,
Wedi crwydro drwy Barc y Rhaglaw
  A methu gweld teigar na llew.

'Na', meddai'r Prifathro, 'nid felly,
  Bydd yn rhaid i chi bellach fynd mâs.'
(Ond diau ymysg diwinyddion
  Fod ambell anifail go gas!)

NEWID PWYSLAIS

(Wedi i'r lês ddod i ben ar Goleg Regent's Park yn 1927, addaswyd yr adeilad i fod yn Ysgol Ddawnsio.)

Wedi bod yn goleg proffwydi
  Fe gollodd yr adeilad ei barch,
Er bod sôn am Ddafydd Frenin
  Yn dawnsio o flaen yr arch!

Y MYFYRIWR HUAWDL

(Myfyriwr, yn ei flwyddyn gyntaf, yn y Dosbarth Pregethu yn ymosod yn ddidrugaredd ar ffaeleddau byd ac eglwys. Yn anffodus iddo, dywedodd y Prifathro am ei bregeth, wrth gloi'r trafod: 'This sermon was full of parsonic pomposity from beginning to end.')

Wel gyfaill, fe draethaist dy neges gre'
Wrth osod byd a betws yn eu lle.
Ond, er dy syndod, cefaist fwy yn ôl
O'th foddion di dy hun, am fod mor ffôl.

WHEELER ROBINSON Y GWRANDAWR

(Un o dasgau yr ysgolhaig enwog, fel Prifathro, oedd gwrando ar y myfyrwyr yn y 'dosbarth pregethu', a gwnâi hynny, fel arfer, yn garedig iawn; eithriad a ddisgrifir uchod ('Y Myfyriwr Huawdl'). Casglodd Robinson ei argraffiadau mewn pamffledyn: Thirty Years in the Sermon Class.*)*

Gwrandewaist bob math o draethiadau,
 Y gwych a'r gweddol a'r gwachul,
Ond deliaist, hyd ddiwedd dy ddyddiau
 I gredu yn yr Efengyl!

Y DUW 'MARW'

(Pan oedd y mudiad a elwid 'The Death of God' yn cael sylw yn y byd diwinyddol flynyddoedd yn ôl, cyhoeddodd dyn papur newydd yn America ymateb dychmygol gan yr Arlywydd Eisenhower: 'If this is true, America has lost a very good friend.')

Bobol, dyma golled greulon,
   Y Bod Mawr ei Hunan wedi mynd!
Os yw hyn yn wir, gyfeillion,
   Collodd America ffyddlon ffrind.

DR. CAVE a DR. RASHDALL

(Dr. Sydney Cave, wrth godi cwestiwn am rai o syniadau Hastings Rashdall, yn dweud amdano: 'A very learned scholar, but a typical once-born Oxford don.')

Yr oedd Rashdall yn 'unwaith-anedig'
   Yn mwynhau ei goleg a'i lawnt,
Ond yr oedd Cave yn 'ail-anedig'
   Ac wedi bod yn Nghaergrawnt!

SIALENS I'R MYFYRWYR

(Yr Athro A. J. Horrocks, Llundain, yn gwneud ymdrech fawr, ac eithafol hwyrach, i'n cael i feddwl mewn ffordd ehangach.)

Mae eich syniadau yn rhy gyfyng,
   Yn rhy ofnus a di-ddal,
Ces i f'achub yn Covent Garden
   Yn gwrando ar *Parsifal!*

Y CYD-BREGETHWYR

(Yr oedd stori gan fy nhad ei fod ef a'i ddarpar-wraig, fel
efrydwyr yn Ysgol yr Hen Goleg, Caerfyrddin, o dan Joseph
Harry, un tro yn cyd-bregethu mewn oedfa, a'i bod hi wedi
pregethu gyntaf ar y testun 'A wyt ti yn fy ngharu i?' ac yntau
wedi dilyn ar y testun, 'Ti a wyddost fy mod yn dy garu.')

Nid oedd gennyf un achos, fel arfer,
  I amau geirwiredd fy nhad;
Ond 'roedd y stori fach hon braidd yn ormod,
  A rhaid oedd mynegi nacâd!

YSGOL JOSEPH HARRY YNG NGHAERFYRDDIN

(Y lle y bu i fy nhad a'm mam gyfarfod fel myfyrwyr.)

Y mae'n dyled yn fawr i ysgolion
A'n hyfforddodd ni yn yr hanfodion.
Ond mae ambell ysgol wych odiaeth
Sy'n gyfrifol am ein bodolaeth!

EPILOG

NEFOL DÂN

(Cyfieithiad o emyn Charles Wesley 'O Thou who camest from above'.)

Tydi, a ddaethost gynt o'r nef
I ennyn fflam angerddol gref,
O cynnau dân Dy gariad Di
Ar allor wael fy nghalon i.

Boed yno, er gogoniant Duw
Yn fflam anniffoddadwy, fyw,
Yn dychwel i'w ffynhonnell fyth
Mewn cariad pur a mawl di-lyth.

O Iesu, cadarnha fy nod
I hir lafurio er Dy glod,
I wylio dros y sanctaidd dân
A deffro'r doniau nefol, glân.

Yn ufudd mwy, o ddydd i ddydd
Offrymaf actau serch a ffydd
Nes dyfod angau, d'olaf ddawn,
A gwneud fy aberth dlawd yn llawn.